百谷千工

郁伟年 著

宁波出版社

图书在版编目（CIP）数据

百谷千工 / 郁伟年著 .—宁波：宁波出版社，2017.8（2020.10 重印）
ISBN 978-7-5526-2918-7

Ⅰ.①百… Ⅱ.①郁… Ⅲ.①散文集－中国－当代 Ⅳ.① I267

中国版本图书馆 CIP 数据核字（2017）第 113683 号

著　　者	郁伟年
策划编辑	沈建国
责任编辑	张爱妮
责任校对	王　苏
封面设计	王泽闻　黄甜甜
内文排版	金字斋
出版发行	宁波出版社
地址邮编	宁波市甬江大道 1 号宁波书城 8 号楼 6 楼　315040
印　　刷	宁波美达柯式印刷有限公司
印　　张	15
开　　本	710mm×1000mm　1/16
字　　数	270 千
版　　次	2017 年 8 月第 1 版
印　　次	2020 年 10 月第 2 次印刷
标准书号	ISBN 978-7-5526-2918-7
定　　价	48.00 元

宁波出版社版权所有，侵权必究

序

　　传统农具和农家日常生活用具,是中国世世代代劳动人民智慧的结晶,是中华五千年文明的重要组成部分。农具的发明创造以及改良演化,反映了农村生产力的不断发展进步,维系着传统农业自给自足的生产方式,而农家生活器具则折射出一个地方的风土人情、风俗习惯。所谓乡愁,并不仅仅是记忆中家乡的山山水水、老屋古树,它或许是一只小小的铜火熜,或许是火缸里焐出来的一碗番薯粥,也或许是已经遗弃在老屋里的一只旧稻桶。为什么偶然见到一件老农具、老物件,便会心跳加快、激动莫名,脑子里便会浮现那过去的时光? 那是因为,这些东西已经深深地镌刻在你的骨子里、流淌在你的血液中,成为你生命的一部分。尽管时代变迁,沧海桑田,许多老农具、老物件消失了,但大地留下了它们耕耘的身影,种子里嵌入了它们的基因,民俗节庆里仍然有它们烙下的深深印记。

一粥一饭，当思来之不易；半丝半缕，恒念物力维艰。做过农民的都知道，一粒稻谷、一朵棉花，从种到收，再变成香喷喷的米饭、暖洋洋的衣服，不知要付出多少辛劳多少汗水，肩膀无数次地被扁担磨破，手指头无数次被镰刀、叶刺划破，衣服无数次被汗水湿透，脚上的茧剪了又厚，草帽不知被太阳晒酥了几顶，为了求得温饱，就这么披星戴月、风餐露宿、流血流汗，真可谓百谷千工，粒粒辛苦。

我在微信朋友圈里发表描写这些老农具、老物件的小文章时，不少年轻的朋友尽管点了赞，但他们的留言往往是"没见过""没听说过"。也难怪，他们生活的当代是一日千里的年代，传统农业、传统的生活方式正迅速地从我们的身边逝去，改革、变革，催生现代农业和现代生活方式，随之，打稻桶变成了收割机，竹编篮变成了尼龙袋、塑料筐，柴火灶变成了煤气灶、电磁炉……这是时代的进步、发展的必然。但是，那种百谷千工的老农精神，那种"一犁耕到头"的老牛精神，那种生态环保循环简朴的生活方式，以及那种邻里守望相助、浅借满还的报恩情怀，仍然需要一代一代传承，并发扬光大，成为世世代代建设祖国、报效家乡的强大动力。

郁伟年
2016.2.23

目录

序 001

工匠之心

打水桶 003
大木桶 006
便桶 009
木甑 012
拗斗 015
木拖 017
谷橱 020
庎橱 022
长板凳 025
印糕板 028
白篮 031
竹篮 034
元宝篮 037
茶篓与蛇篓 040
刀笼箮 042

黄鳝笼 044
箩 046
猪笼 049
土箕 052
草帽 054
簝 057
针线盘 060
草鞋 063
席草扇 066
蓑衣 070
油布伞 073
弹花弓 076
铜火熜 079
竹垫 082

千工之巧

扳罾 …… 087	升子 …… 129
赶罾 …… 090	算盘 …… 132
农用船 …… 093	眼杆 …… 135
鸭船 …… 096	泥马 …… 138
石灰池 …… 099	梯子 …… 140
氨水池 …… 102	土纺车 …… 143
抽水机和机埠 …… 104	火铳 …… 146
风车 …… 107	鸡笼 …… 148
晒谷场 …… 110	兔笼 …… 151
营养钵 …… 113	缸灶 …… 153
喷雾器 …… 116	汤锅 …… 156
瓜舍 …… 118	烧火棍 …… 158
黑光灯 …… 121	灶台 …… 160
种田绳和埭头棒 …… 123	酒埕 …… 163
杆秤 …… 126	粥氅 …… 166

倾力之韵

扁担 …………………… 171	河泥篰 …………………… 202
杠棍 …………………… 174	搓板 …………………… 204
稻桶 …………………… 177	榖槌 …………………… 206
犁 …………………… 180	手拉车 …………………… 209
水田耙 …………………… 183	锄头与铁耙 …………………… 212
水车 …………………… 186	盹锹 …………………… 215
柴刀 …………………… 189	麦插孔 …………………… 217
沙锲 …………………… 192	草包 …………………… 219
铡刀 …………………… 195	石槽 …………………… 221
夯 …………………… 197	石捣臼 …………………… 223
河泥锹与滑铲 …………………… 199	石磨 …………………… 226

后记 …………………… 229

工匠之心

  使用过这些农具的人也许已经永远逝去,又或许正在渐渐老去,大木桶里发芽的种子,早已转化成我们的生命能量,当年在大木桶里豪饮的老牛,被煺毛的肥猪,也早已成为我们追忆童年时光的精彩段落。

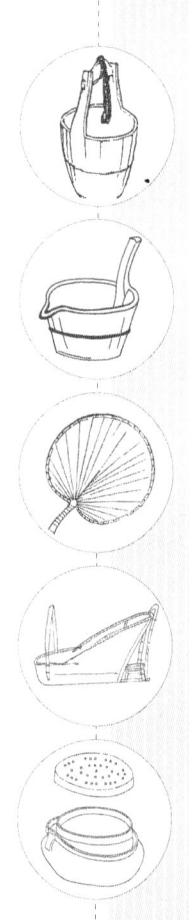

打水桶

DASHUITONG

  打水桶，也叫吊梁桶，木板制作，是井中打水用的小水桶。桶口两侧的两块木板向上伸出，中间各有一卯口，横向榫进一木档，木档中间系一条麻绳。江南农村因为地下水位高，水井里的水比较满，一般不安装辘轳或压水器，而从井里直接提水。提水就要用到打水桶。

  用打水桶提水，要掌握技巧，否则费时费力又提不上水。手握绳索，将打水桶放入井中，在桶底刚接触水面时，手要左右抖动绳索，使桶晃动，移动重心，桶身向单边倾斜，桶口顺势倒向水面，井水流入，并随着水量增加，桶体竖直下沉，直至灌满整个桶。然后，双手交叉提拉，打水桶

便晃晃悠悠地上来了。提水的关键是巧用力气,让绳索调节好水桶的重心,使桶口刚好倾斜至能进水。外行的人从井里提水可吃力了,要么用力过大,桶撞在井壁上;要么将桶上下提拉,桶底碰水啪啪响,就是不倾斜;要么桶身底朝天,将绳索一拉,桶内进水不多,搞得肩膀酸痛,仍不得要领。好在井中提水只是一个小技巧,多练几次就会了。

当时,我们村庄只有一口井,离我家大概有一里地。天旱水缸没水了,要担着水桶带着打水桶到井口挑水。井里的水清澈见底,捧在手里,喝上一口甜丝丝的。走到井边,原本燥热的身体不知为什么也会很快冷静下来,心情就像井水一样安宁透亮。我们站在井边提上一桶水,用手将水泼在脸上,一种凉爽的感觉便传遍全身,挑起水桶担,脚步轻快了许多。

|黎芝有语|

想起了读过的一首诗《打水井的少年》:"绳子麻利地抓住水桶,抓住了一个晶亮的下午。手指松开,哐当——岁月离开了身体,它们摇晃着,下探到井部,井越深水越冰冷,退去的童年越漫长。我也想往井里跳,看看能否赶得上,一根绳子、一个水桶和一个打水少年!"因为冬暖夏凉,小时候我们都喜欢用井水洗洗涮涮。但这打井水却是个技术活,需要技巧。用长绳系在水桶提手上,慢慢放下井中。待快接触水面时,手轻轻一抖,桶会倾斜入水,打进小半桶水。这时把绳拉直,上下晃动,利用这小半桶水的重量沉入水中,打满之后慢慢上提。提上来些,绳子在井口边扣一下,歇歇力,而后再一点点往上提,这时大人们便会赞许地看着孩子晃悠悠地给他们倒井水。炎炎夏日里,清凉的水井简直成了唯一的寄托。暑假的下午孩子们会捧着大人买的西瓜或脆瓜,来到井边,把瓜放入网线袋,吊入井底,只等大人下班后一起分享夏日里最清凉的快乐时光。后来,木桶换成了铅桶,铅桶又换成了塑料桶,再后来,连老房子都拆了,哪里还会有当年的井水和吊梁桶?

大木桶

DAMUTONG

每个生产队都有一只大木桶，高约一米，直径有一米二，外面有两圈竹箍，底部一圈，离口子三十厘米处又是一圈。桶由箍匠打造，一般选择杉木作板材，桶的里里外外都会涂上一层清漆，防止渗水。

这么大的桶，平时放在生产队的仓库里，一年里面大概用到三次。一是早稻播种前，把秧子谷倒入木桶，再倒入河水，去除上浮的秕谷，这就是筛种；然后换水，让谷种在桶里浸泡两天，充分吸收水分，这叫浸种；两天后谷种就转移到仓库内铺有稻草和草包的地上，进行催芽了。二是作为越冬耕牛喂料喝水的器皿。冬季耕牛都关在牛栏里，每天有专人负

责烧水喂养,一大镬的水烧开后,用大勺子舀到已经放了碎菜籽饼的大木桶里,用竹棍使劲搅拌,让菜饼溶化在水中,霎时,牛栏里充满了菜油的浓香。待水温适中,把牛牵过来让它喝,牛也是迫不及待,放开肚皮喝,一口气可以喝掉半桶水,这就是所谓的牛饮。三是杀猪煺毛时装热水的容器。由于猪身肥大,只有大木桶才能容得下,所以,农家过年杀猪一定要向生产队借木桶。猪放血后,主人把开水倒入桶,杀猪屠再掺些冷水,大概水位有半桶高,水温七十至八十摄氏度,"扑通"一声,把猪扔进桶里,转动猪身,并在其背上不停浇水,使之受热均匀。一刻钟后,大部分猪毛就脱落了。

简简单单的一个木桶,对农民来说,作用也真不小。不过现在,这种木桶已见不到了,耕牛不养了,养猪规模化了,早稻也基本不种了,这种桶也就没有用武之地了。

> **黎芗有语**
>
> 在农村在农家,农具是家家户户必不可少的劳作工具,比如锄头、砍柴刀、扁担、镰刀、簸箕、铲锹——它们无一不与我们的生活紧密相连。我们都知道,悠久的华夏文明是从农耕开始的。然而,随着社会的不断发展和进步,传统的农耕方式已经被改

变,而农耕时代的生产生活工具,也渐渐被机械化的新器具所取代,最终将退出历史舞台。尽管传统农具的消失是社会发展的必然趋势,但是这些农具在几千年的农业发展中立下过不朽的功勋,闪耀过动人的光芒,温暖过我们,也是历史传承和时代进步的伟大见证者。使用过这些农具的人也许已经永远逝去,又或许正在渐渐老去,大木桶里发芽的种子,早已转化成我们的生命能量,当年在大木桶里豪饮的老牛,被煺毛的肥猪,也早已成为我们追忆童年时光的精彩段落。但蓦然回首时,竟然有几分温情漫过心头,我们开始怀念,怀念这些曾经让我们的祖辈们赖以安身立命的老家当,还有心心念念的大木桶……

便桶

BIANTONG

便桶就是粪桶,是农民装粪便、施肥料的农具。便桶由桶身和桶档组成,桶身为木质,中间和底部由两只铁环或竹环箍住,桶档用毛竹片制作。便桶一般成双使用,我们叫便桶担,既可装粪便,也可用来挑水、挑河泥。那时很少用化肥,人粪便是主要的肥料,所以便桶既是农具,又是平时一家人大小便的容器。

与便桶担配套使用的是料勺。料勺由木板箍成,其边缘中间有一勺嘴,粪便与水从此处流出,浇到作物根部;料勺柄是一根长竹竿,方便较远距离施肥。

　　为庄稼浇水施肥是经常性农活,三天两头要干。有时白天为生产队挑肥浇田,傍晚收工后还要到自留地上为自家种的蔬菜、瓜果施肥,一整天便桶担不离肩、料勺不离手。满满一担人粪便大概重量有120斤,挑到路远的田里,还是比较累的。挑担熟练的人会一个肩膀压着扁担,另一个肩膀扛着料勺柄,柄的一头撬入扁担的下面,让担子那里的重量通过料勺柄传导过来,以减轻主肩膀的压力。但这种挑法碰到路上的行人就很难受了,必须避让,否则料勺横过人家的头顶,行人心里就不舒服。挑便桶担时,人的脚步与便桶会形成共振,粪便装得太满就很容易晃出。所以除了装粪时每桶只装八成外,走路的步法也要有意识地打乱节奏。

黎芗有语

　　庄稼一枝花,全靠粪当家。粪便由粪缸到田里的过程,就是这便桶和料勺在起作用。老话里至今还有形容人嘴臭的:嘴巴像便桶,或嘴巴像屙缸;也有形容聪明累的:活络活络,背只料勺。

　　一个便桶,让我想起了宋朝大诗人、大书法家黄庭坚。他其时已经是朝廷大员,而且文名很盛,家里自然奴仆成群。可是,黄庭坚竟还坚持每天刷便桶。这是为什么呢?原来,黄庭坚的母亲那时还在,但年事已高。为了方便,老夫人就在卧室里安放了一个便桶;而黄庭坚不管公务有多忙,母亲的这个便桶一定是他亲自去刷,一直坚持到老夫人去世。周围的人有点看不过去,黄先生已经是国之重臣,名望那么高,这些事情完全可以叫奴仆去干的嘛!可黄庭坚的回答是:"孝顺父母是人的本分,就像忠于君上是臣子的本分一样,这和我的别的东西有什么关系呢?孝顺我的母亲,与我的官位和名声没有什么关系。孝敬父母是子女对父母养育之情的感恩,这还有什么高贵贫贱之分吗?"

木甑

MUZENG

　　木甑,用杉木板箍成的圆桶状的炊具,上大下小,两头相通,外围上下有两圈竹篾箍或铁丝箍,用来加固桶体。上口侧面对称的两块木板上装有錾头,以方便端起木甑。开蒸前,要在木甑里放一只圆形的竹饭架,饭架上面搁一只形如斗笠、用丝瓜络缝制的蒸垫,米或米粉就倒在蒸垫上。木甑准备停当,便可以开始蒸煮了。在铁镬里倒入清水,将已放入了米或米粉的木甑放入铁镬,盖上木盖,灶洞里火烧得旺旺的。不一会儿,水开了,蒸汽沿着丝瓜络的缝隙进入大米,透过甑盖不停地升腾,

三十分钟至四十分钟,甑里的米或米粉便蒸熟了。如果里面蒸的是粳米饭,出甑后倒入竹匾内,晾冷了准备做米酒。如果蒸的是粳米粉,则用来做年糕。只要提起鏊头,将木甑搬到室外,倒入石捣臼,早有人等在那儿,抡起木杵趁热倒腾起来。

我们老家风俗,每年入冬以后,将新收的粳谷挑到附近的米厂轧成米,然后便计划过年时需要做多少斤米酒、多少斤年糕。一般一斤粳米可以出酒三斤,或做一斤半年糕。如果要做六十斤米酒,就需要二十斤粳米,大致称量后,将米淘洗干净,在清水里浸泡两至三天,滤干水,放入木甑蒸熟,晾凉后拌入酒曲,再放入酒缸里自然发酵,十几天后便可出酒了。如果做年糕,同样要将米浸泡几天,带水磨成粉,榨干水分放入木甑蒸熟后进行加工,这种年糕我们叫"水磨年糕",入口绵软,十分好吃。

做酒做年糕是一个家庭的大事,那天也是村庄里最热闹的日子。那天,主人把木甑和丝瓜络蒸垫洗得干干净净,灶洞旁堆满了柴爿,四邻八舍都被吸引了过来,帮忙的帮忙,看热闹的看热闹。等到灶头冒出热气,屋里屋外都飘散着米饭的清香。尽管是隆冬季节,但因为有了木甑及其散发出来的那种袅袅升腾的气息,每个人的脸上都春意盎然,洋溢着丰收的喜庆和对生活的满足。

|黎|芗|有|语|

看到甑子饭,就会想起外婆。时间愈久,思念愈浓。虽然不能重回童年的时光,吃甑子饭却足以慰藉我们无法安放的乡愁。小区临街的铺面里,有一家小吃店,每天都有甑子饭,看见木甑口

周围白气袅袅升腾,小时候那浓浓的饭香扑面而至的情景,就在我脑中挥之不去。店里的女主人特别勤劳、和蔼、慈祥,饭香里、声容中,有种当年外婆的味道。因此,看见木甑,闻到饭香,满满的都是浓郁的杉木香味,是极具诱惑力的童年味道。现在家家户户都有了电饭煲,淘好米,加上适量的水,轻轻一摁"煮饭"键,就等着开饭了。哪怕是"大灶烧饭"的模式,也没有了木甑杉木的清香,更没有了柴烟氤氲的画面。木甑蒸饭,是藏在一代人记忆里的童年时光和家乡味道。

拗斗

AODOU

　　拗斗，一种舀水的工具，功能与木瓢相同。圆柱形，上略大下略小，由短木板箍成，其中有一块木板从沿口向上伸出，做成手柄，便于提水，相对于手柄的一块木板做成一个微凸的斗嘴，方便水倒出。

　　过去农村没有自来水，饮用水主要靠天落水、井水和河水。为了用水方便，家家户户都在灶间外放有水缸，有的还不止一只，做菜煮饭烧水都要从水缸里提水，提水的工具就是拗斗。拗斗有时放在灶头，有时浮在水缸里，烧煮需要用水时，随手拿起拗斗，就能舀到水，使用十分方便。夏天收工回家，口渴了，又没有现成的冷开水，将拗斗没入水缸，舀起满

满一斗水,咕噜咕噜灌上一肚子,既解渴又消暑。除了舀水外,还有专门的拗斗用于盛流质饲料喂猪、喂鸡。

现代京剧《沙家浜》里有一个情节,说胡司令被日本鬼子追杀,逃到阿庆嫂开的春来茶馆,阿庆嫂临危不惧,将胡司令藏在水缸里,躲过了鬼子的搜捕。剧情里没有交代胡司令身子浸入水缸里,头是怎么隐藏的。我想阿庆嫂是不是给他的头上覆了一只大拗斗,骗过了鬼子,胡司令才死里逃生,拗斗立了一大功。但我从来没有见过能套进一个成人头的大拗斗,所以这个情节可能有点虚构的成分。

黎乡有语

是不是因为在手柄对面有一张凸起的斗嘴,使得整个斗身显得凹陷,所以才名曰拗斗的?这个未经考证。但有一点可以肯定,因为是木质的,所以用来舀水,如果不是用力把斗身沉入水中,拗斗是开口向上浮在水面上的。若要把拗斗覆过去,斗嘴朝下浮在水面,那绝对是一个技术活,也只有小鬼子才会上当受骗、信以为真。也只有胡传魁这样的草包的存在,才会有阿庆嫂"潜伏"的可能。宁波人把有短直斗柄的舀水器具叫拗斗,杭州建德一带把有长柄横装的舀水器具叫拗斗。而那种器具,宁波人叫料勺。宁波话里,把脑壳头外凸、眼睛凹陷、鼻梁塌的,唤作拗斗脸。

被人叫作拗斗脸,一般都令人懊恼和难过,这意味着,你长得很对不起观众。

木拖

MUTUO

木拖就是木质拖鞋,又叫木屐。我们青少年时代,没有塑料凉鞋、没有海绵拖鞋,初夏至霜降节气前的白天基本上赤脚,晚上洗澡后,为了避免弄脏床铺,则会穿上一双木拖。

木拖都是自己动手做的。选择一块质地好、不会裂的木板,以布鞋底作模,用铅笔在板上画样,借来细锯依样开锯,不一会儿,两只木拖底板便从锯齿下出来了,再用锉刀打磨好鞋边,用旧皮带作鞋环,一双简

便实用的木屐便可以穿了。做得好的木拖,还要用凿子在底面凿出一个鞋跟,刻上花纹。在鞋的前部打上三个呈三角形分布的小孔,穿上"人"字形的鞋环,有点像古代人穿的真正的木屐。

穿木拖的最大好处是方便随意。夏天的晚上洗过澡、吃过饭,穿着木拖到桥头纳凉,坐在椅子上手摇蒲扇,双腿交叉,一只木拖脱落在地上,眼睛里是满天星斗、耳边是三国故事、嘴巴里是嗑不完的瓜子,宁静悠闲、舒适惬意。穿着木拖走上泥路,青草上的露水不时溅在脚面上,清清凉凉,还有被脚步声惊动的青蛙"扑通扑通"地跳进稻田。穿着木拖到河埠头,抬起脚在水里来回蹚几下,脚上的连带木拖上的泥便全部荡干净了,湿漉漉地走回家,也不用擦,一会儿脚便干了。

"踢踏踢踏",石板路上,木拖声清脆悠长,伴随我们度过少年的青涩、青春的烦恼,直到其被更轻巧的塑料、海绵拖鞋所替代,真正应了那句"弃如敝屣"的成语。

黎芗有语

上世纪五六十年代,每到夏天,木拖是唱主角的。不仅男的穿,女的也穿;老的穿,少的也穿。整个夏天,马路上、弄堂里,木拖板鞋有节奏地敲击在石板上,发出清脆的啪嗒啪嗒声,特别在那幽静的夏夜里,这种声响带着悠长的韵律,在一条条狭窄的弄堂里回荡。这就像春天要有布谷鸟的歌声,夏天要有青蛙的合唱一样,夏天不能缺少木拖的声音,不然这个夏天该有多么单调!每到傍晚,我们就拎来井水,在家门口泼上几遍,降降温,再把竹床、椅子、凳子,用凉水冲一下,搬到门口去乘凉,大人们或躺着休息或和邻居们聊天,孩子们则开心地玩耍或听大人们讲故事。哪个孩子一站起来走动,便会啪嗒啪嗒地响,尤其在夜晚,老远就能听到声音。要是走夜路,孩子们还能由此壮胆。经常是几个孩子走在一起,常要闹起豪兴、用力直跺,即刻便响声一片,还有点吵人、烦人。要是走在七弯八绕弄堂的石板路上,那个清脆的声音就跟打竹板一样。有的人家父母根据声音的轻重缓急,就能分辨出是哪家的孩子。

清脆的啪嗒啪嗒的木拖敲地之声,常常会在不经意间伴着我童年时代拥有过的一双红漆绿花的美丽小木拖,一直敲进我的梦里来。

谷橱

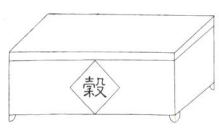

GUCHU

谷橱是农民贮存稻谷的木橱子,用杉木打造,方方正正,能够防鼠防潮。容积小的可存放三四百斤谷子,大的可以放千斤以上。

谷橱是温饱尚未解决年代的产物,承载着一家人的生计和希望,只要谷橱里有谷,一家子就不会断炊挨饿。如果谷橱见了底,当家人便会愁眉苦脸,绞尽脑汁地想办法搞粮食。

民以食为天,吃饭是第一件大事。乡下人的习惯是,谷橱一天也不能空,即使要全部起出,也会留下几斤,让其管着橱底,意思就是年年有余。

当时我们那里普遍种植双季稻,春季种早稻,早稻属籼稻,七月中旬收割。内含直链淀粉,糯性不足,口感粗糙,但涨性好,出饭率高。那个时候家庭人口众多,为了填饱肚子,生产队和社员们都希望用早稻谷为主作为口粮分配,晚稻谷只作为口粮的补充(晚稻是粳稻,含支链淀粉,糯性和口感好,但出饭率低,可用来做年糕、酿米酒)。八月中旬,繁忙的夏收夏种结束了,早稻谷也晒干了,生产队在交完公粮后,开始为社员们分配口粮,分配的数量是按男女老少的定量标准计算确定的,也不是一次分配到位的,一年各季要分三四次到户。但第一次肯定是在"双夏"结束后不久。这时家里的谷橱基本上空了,大家都盼望着新谷入橱、新米入口。待家里的男人们把谷一担担挑进门,喜悦便挂满了每个人的脸庞。主妇们早已把谷橱用笤帚打扫得干干净净,男人双手提起装满谷

子的竹箩,倾倒入橱,倒完了还要往箩底拍上几拍,不留下一粒谷子。新谷一箩箩地往里倒,谷橱很快就满了,抹平谷面,盖上盖板,挂上铁锁,全家的生计就在这里了。

谷橱说起来可以防鼠,其实也最怕老鼠。老鼠知道里面藏着粮食,便想方设法偷吃,其他门路没有,只有动用牙齿啃木板,在谷橱的背面或底部咬出一个洞来。但主人的床就在谷橱旁,晚上听见老鼠的啃咬声,不时会用木棍敲一下谷橱或地面,以示驱赶,或者用鼠药、老鼠谅进行诱杀、捕杀。那年月,人都吃不饱,还能让老鼠糟蹋吗!

黎芗有语

一个老旧的谷橱不仅是农具,也是那个时代孩子们嬉闹的大玩具。在炎热的夏季,孩子们除了下河玩水之外,有时也会用谷橱作躲猫猫的藏身"秘境"。他们悄无声息地将细小的身子翻入谷橱,然后将盖子轻轻托起复原盖牢,任由那个寻找的孩子在外面大呼小叫也决不出声。时间一长,在闷热的橱子里睡着的事也是常有的,等焦虑着急的父母在空荡荡的谷橱里找到这个睡得五迷三道的"讨债鬼"时,那小小的身躯已然是汗水淋漓,似是从河里捞上来一般无异了。而因此痧气发作、头痛脑热好几天的,也是常有的事。

庎橱

JIECHU

庎读介。庎橱是灶间不可缺少的用具,木制或竹制。老式庎橱有两米高,一般分三层,上层放一些罐罐坛坛,里面装的是绿豆、赤豆、面粉、山粉以及不是每天都要用的红枣、黑枣之类的食材;中间层以放熟食为主,主要是用餐时吃剩的残羹冷炙;下层有一格格的木档,可以漏水,专门用来覆洗干净的碗、盆。筷子、酒盏、调羹等装在一个藤盘里,也放在下层。上层和中间层装有橱门,以防止虫子与灰尘飞入,下层则是开放式的,方便取用碗、盆。庎橱正面的两侧还有两只抽屉,放一些茴香、桂皮、胡椒、生姜、大蒜之类的香料、调味品。在一侧的橱边上打了一枚钉子,上面挂一只"筷箸笼",里面插着许多筷子。可以说一架庎橱包罗了所有的餐具和辅助食料。

我家的庎橱是杉木做的,漆成了深咖啡色,做工比较考究,橱门上有镂空的雕花,花样是梅兰竹菊,叶子形的铜拉手。小时候嘴馋,趁母亲没看到,经常悄悄溜进灶间,打开庎橱门,偷下饭吃,什么苋菜管、臭冬瓜、霉干菜、咸烤笋,撮上一块就往嘴里塞,咸是咸,感觉却是美味可口,平时没零食吃,吃什么都是香的。

老庎橱也有不足,就是容易滋生蟑螂。庎橱的角落、抽斗底是蟑螂、蟑螂屎、蟑螂卵最多的地方，有时拉开抽斗，蟑螂便窸窸窣窣爬了出来，忙不迭地想用手拍死它，但它爬得更快，一眨眼就不见了。所以，每年过年前，都要搬空庋橱里的东西，抬到河埠头进行彻底清洗。可是过不了多久，蟑螂便又卷土重来了。由于庋橱里放着食物，不能用药物毒杀，对蟑螂真的没有好的防治办法。

我家那只老庋橱现在已经弃而不用了，位置也从灶间移到了屋檐下，任凭风吹雨打，灰尘蒙面。但看上去骨架还是蛮"圓注"（坚固）的。曾有收旧家具的想买走，我母亲却不愿意，家里的老物件不多了，留着它作一个念想，让它与主人一起慢慢老去吧！

黎芗有语

《集韵·怪韵》："庋，所以庋食器者。或作庪。"庋，本指放置食器的搁板或架子。后来也把"庋"直接解释为房。"庋橱"是宁波方言，指放食物和餐具的橱。随着宁波人一波又一波地去上海闯天下、跑码头，也把庋橱这个称谓带到了上海。老底子碗筷、食材、佐料、吃剩的小菜都放置庋橱里。早先外婆家有一个精致的木头庋橱，四开六门，五层一底，高约两米，宽约一米五。上面三层有六扇门开合，门上镶嵌着"車"字形格子，里面用竹帘遮着，中间一层最小,就三只大抽屉,放些调羹勺子等细小杂物。再下来一层是开放式的碗栅搁,专覆洗干净的碗盏碟子。最底下是庋橱脚立地处,高大约八十厘米,里面放一只不大不小的咸菜缸。这只木头庋橱,拉手都是黄铜制成,黄铜虽已氧化发绿,但远观近看依然显得豪华而又气派。据外婆说这是上代传下来的。后来城里人用的多是"小庋橱",没有贮物层,多做成"吊橱",挂在墙上,节省空间。即便是如今没有见过庋橱的年轻人,对"开庋橱门"即对酒醉呕吐的诙谐说法也是心知肚明,打趣了以后会心一笑。"吃咧橱档开门"基本上是接近暴饮暴食的程度了。至于"姊妹望兄弟,冷饭匠在庋橱里;兄弟望姊妹,半碗鸡子半碗面"的民间歌谣,则是幽默了一下世态人情。

长板凳

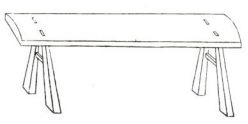

CHANGBANDENG

  长板凳，长约一米五，两端凿有榫头，各嵌入两条凳脚，四脚落地，四平八稳。长板凳的主要功能是坐人，一般一条凳坐两个人。过去农村日常吃饭或办红白喜事，用的是八仙桌，桌子四边各放一条长板凳，每桌可坐八个人，尊者朝南坐上首，小辈朝北坐下首，左为主宾，右为次宾。一张八仙桌，四条长板凳，尽显中国传统文化中长幼尊卑的人伦规范。

  除了坐人外，长板凳还有许多别的用处，是农家必备的日常用具。

宰猪时，长板凳成了杀头台。将两条长凳并在一起，凳脚用麻绳扎牢，放在天井里。几个壮汉从猪栏里把肥猪提到长板凳上，死死按住，杀猪屠手起刀进，只见热血喷涌而出，猪便一命呜呼了，长板凳上却沾满了斑斑血迹。砌墙时，长板凳又成了垫脚的工具。当砖墙砌到与人等高时，泥工站在地上已经很吃力了，要继续往上砌，就要有垫脚的，长板凳是最佳的选择，有高度有长度，站在上面平稳安全而且还可以小步移动。所以泥水匠到农民家里造房子肯定会问，你们家有没有长板凳？如果主人说没有，那他一定会叫你去借来，以方便他干活。有客人来，要在家里过夜时，长板凳又要派上用场。过去农民家里没有空余的床位，自己子女要摆平已显得拥挤，逢年过节远道的客人到家过夜，必须要临时搭床铺，说来也简单，在堂前或房间里，以长板凳作脚，搁上几块长板或竹排子，就是一张简易的床了。

长板凳还用于举办丧事的仪规上。宁波农村风俗，抬着棺材出门上山，要走大路、过河过桥，即使墓地在屋后附近也要绕道而行。过桥时，必须放下棺材祭拜河神、桥神，但棺材又不能落地。于是专门有两人背着两条长板凳走在后面，快过桥时，走上前去，将两条凳子放在桥面上，抬棺的人便将棺材轻轻放下搁在长板凳上，待祭拜仪式结束再抬起往前走，如果上山的路上有三四座桥，祭拜仪式一如既往，长板凳不可或缺。

长板凳制作简单，用处很大，所以至今仍然被广泛使用。即使已经很破旧，但还是不舍得扔了，仍然放在杂物间里，以备后用。

| 黎 | 芗 | 有 | 语 |

　　一条朴拙的长板凳,承载了我们多少温暖的生活记忆!当年,外婆坐在长板凳上搂着我们讲故事的情景还历历在目,如今,长板凳的现代流行又卷土重来……听说,我婆婆家曾经拥有的两把从贵州带来的长板凳,是直上直下的矩形结构,两人合坐时,一人若要起来,必得先告诉另一人赶紧往中间移动一点,不然就会因为重心单边而倾覆摔倒。据我先生说,当年他们兄弟姐妹四个,经常用来自贵州的长板凳取乐逗闹,一人忽然起来一人摔倒在地……儿时曾经令人嗷嗷大叫的长板凳,倒成了追忆童年的最好载体。

印糕板

YINGAOBAN

　　印糕是宁波的特色小点心，其制作的原料有粳米粉、绿豆粉、赤豆粉、砂糖或红糖、松花、果仁等，根据不同的口味，可以增加其他原料。

　　做印糕要有印模，宁波人称之为"印糕板"，就好像铸铁、注塑的模具。印糕板由木条或木板制成，大小不一，长形的一般长度有三十厘米左右，厚度四至五厘米。木条的正面雕刻有三至五个圆形、梅花形、葫芦形等不同形状的凹进去的印模，模底还刻有反向的花纹或字纹，像印章

一样。常见的花纹、字纹有梅兰竹菊、鱼鸟、福禄寿禧等。

印糕分成软硬两种,前道做法基本相同。做软糕时,先把原料加水搅拌均匀,适当揉捏后,掰成一团团,接着像做汤圆那样,摊薄粉团,嵌入馅子,搓成圆团,放入印模,用手一压,用刀轻轻一刮,去掉多余的面粉,再将模里的生糕敲出,放在蒸笼上。蒸熟后,按照原料不同,有绿豆糕、赤豆糕、薄荷糕等等,凉后吃起来味道特别好。硬糕更加简单,省去了嵌馅子这道环节,面粉直接放入印模,倒出后放入铁丝匾内烘干。当时农家煮饭都烧柴草,大灶旁有一只火缸,灶洞里的柴火用火锹铲入火缸,用来焐粥、烘干衣物,当然也适宜于烘糕。

在火缸上搁两条铁条,将放满生糕的铁丝匾放置其上。在炭火的烘烤下,生糕里的水分渐渐蒸发。为了防止受热不均匀,烘的过程中,要将糕翻动两三次,使之干而不焦。半天后,生糕变成了熟糕。熟糕由于掺有松花,呈金黄色,清香扑鼻,并有一定硬度。但用门牙轻轻一嗑,便碎了开来,舌头一转,唇齿含香,回味悠长。

我们小时候,印糕是稀罕之物,不是经常吃得到的,家里只是偶尔做一次,给我们解解馋。我读高中时,因为寄宿在学校,夜里还要上自修课。母亲怕我饿,在周末回家的时候会做一些印糕,放在铁皮饼干箱里,让我回学校时带上,放在寝室的床头,晚上能吃上一块两块,聊以充饥。可是第二天晚上,你还没吃上一块,便被同学们抢劫一空了。

▼ 王静/藏　沈国峰/摄

黎芗有语

从前在江南水乡一带，每到逢年过节、造屋上梁、添丁进口、拜寿婚嫁，家家户户都要用米粉来做一些糕团。糕团往雕了花的模板上一扣，倒出来就是一个精美的小糕点，再放灶上蒸一蒸，就是童年的美味。这些做糕点的雕花模板就是印糕板啦！老底子人们为啥那么爱印糕？除了好吃之外，更寄寓了美好的祝福——"糕"与"高"同音，而糕板的图案也大多与吉祥如意、祈福求财有关。只要细细回忆就能发现，印糕板其实就是老底子人们旧时生活的一部分。一个人从还在娘胎到离世，一年四季、四时八节、造房子、讨娘子，在这些民俗节日和百姓的各大喜事里，印糕板几乎无处不在。当然，不同节日对应的印糕图案也大不同。比如中秋节，吃月饼的习俗让印糕板更有了用武之地，"嫦娥奔月""桃"的图案模板最为应景；逢春节，做糕点就会用上"如意""一团和气""聚宝盆"等图案；遇到讨娘子这样的大喜事，印糕更不能少了，这时的图案就有"莲花""龙凤呈祥"等等，寓意喜庆、早生贵子。真正是一印一记忆、一板一美味。在宁波地区，人们发现儿子跟父亲、女儿跟母亲长得很像，就会说，这两个人，长得像印糕板印出来的一样。

白篮

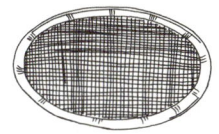

BAILAN

  白篮，一种用于农作物脱粒、净化、翻晒的竹编容器，形状像剖开的半边篮球，容积有大有小，大的直径有两米多。

  白篮最适宜于黄豆、蚕豆、绿豆及芝麻等小农作物的去壳脱粒。这些作物一般在果实七八分成熟时，就被连根拔起，进行晾晒，待到豆荚干燥发黄再进行脱粒。但这时的豆荚很容易自动爆开，豆粒便掉落在地上。如果放在竹垫或水泥地上脱粒，可能会满地狼藉，豆粒到处滚动，芝麻四处飞溅，造成很大浪费。白篮像一只大碗，底平，边沿有一定高度，可有效避免豆类往外蹦出。

　　黄豆脱粒,我当时几乎每年都干。先在一块空地上放好白篮,再轻脚轻手地捧起一把已经晾干的黄豆株,根朝外荚朝里,放入白篮,一手捏住豆株根部,一手拿着一根木棍敲打,豆粒便毕毕剥剥地出来了。待把晾晒的黄豆秆全部敲完,白篮里已经堆积了厚厚一层黄豆了。然后便是去杂,每次捧起三四斤的黄豆放入米筛筛选,混杂其中的细碎土粒通过筛孔落在地上,分量轻的豆荚壳浮在上面,用手一抓扔到外面,留下的就是玉白色的黄豆了。收获其他豆类和芝麻也是这样处理的。

　　白篮除了脱粒以外,还用于在太阳底下晒干果实,将豆粒、芝麻在白篮底上薄薄摊上一层,晒上几个日头,就可以收藏了。

　　宁波老话里有一个形容词,叫"向白篮",取意于白篮没有盖子,底朝天,里面的东西一览无余。"向白篮"的意思就是自我曝光,把自己的隐私全部暴露在大庭广众之下。如一个人睡觉不盖被子,四脚朝天,呼噜震天,别人看到了就会说:此人睡相这么难看,"向白篮"一样。又如,有一些暂时不想让人知道的事情,结果不知什么原因被公开了,自己觉得很恼火,也很尴尬,有人问起,当事人就会自嘲:"'向白篮'啦。"大家都知道了,随他去吧!

黎苑有语

小时候宁波有首童谣叫《撮田螺》："太阳落山，田螺摆摊，爬起一担，伛倒一篮，倒出一白篮，烤拢一酒盏，过过夜饭，还差一眼眼。"这里说到的白篮，在宁波地区的广大城乡，就是晾晒干菜、去壳脱粒的竹篾筐子。白篮直径很大，篮身很浅，需要晾晒的东西往篮里一摊开，很快就能干燥。小时候，外婆在家里搭浆板、做酒酿，就只是准备了一甑、一白篮。只见外婆用柴火煮了糯米饭，稍微焐上一会儿，这才起锅倒在白篮里，摊开铺平，随着一股淡淡的白气袅袅升起、渐渐散开，外婆就让我用筷子扒拉篮里那些比平时略干的糯米饭，那米饭粒粒饱满，颗颗晶莹，香气扑鼻。等到饭粒完全凉透，外婆就变戏法似的摸出一包粉状的"白药"，散在白篮中，掺和、凉拌到米饭里。只见外婆左手轻轻扶着篮沿，右手在白米饭里翻飞舞动，直到白药白饭拌匀了，就从白篮里起出，把拌了白药的糯米饭按压在油亮亮的甑里，最后用镬铲柄在中间插出一个垂直的圆孔，然后盖上盖子、捂上被子，就可以静等浆板搭熟、酒酿飘香了！

竹篮

ZHULAN

竹篮，竹篾编织的篮子，形状不一、用途多样，既是生产用具，也是生活用品。

生产上，经常用篮子装秧苗、种子，如种玉米、种番薯，要先育苗，待长到一定时候起苗，放入篮子，挈到田里，进行移栽插种。我小时候印象深刻的是提着篮子割猪草、鹅草、兔草。放学后，放下书包，拿一把沙锲，提一只大篮，跑向田野，选择那些家畜爱吃的野草，什么"猪人参""红枣藤""革命草"等，抓一把割一刀，放进篮子里，满满的带回家，抓一把扔进猪圈、兔笼，看着它们美美地进食，自己也觉得蛮开心的。

　　日常生活中,竹篮的用途就更加广泛了,买菜、洗衣、盛物件都要用到它。当时,我们最喜欢的是杭州篮。杭州篮篮身深、环短,而且做工精致,又用篾青编制,既好看又耐用。拎着一只杭州篮出门,会觉得自己有档次。因此,如果有人到杭州走亲戚或出差,问有什么要带的,一般都会说,给我带一只杭州篮回来。如今,竹篮的种类就更多了,而且用途也在不断拓展,不少成了工艺品,更多的成了外包装,比如作为粽子、大闸蟹、水果、月饼等的包装,既时尚又生态。

　　竹篮还被用在成语上。"竹篮打水一场空"是一句经常用到的成语,出自唐朝寒山的诗:"我见瞒人汉,如篮盛水走,一气将归家,篮里何曾有。"意思是做了好多事情,却白费力气,没有效果,劳而无功。

> **黎艺有语**
>
> 　　竹篮,曾是一件与百姓生活关系密切的物品。竹篮的原料分青篾、黄篾两种。编制竹篮,有篾匠上门编织,也有不肯闲的男人

自己编的。篾匠手巧,竹篮编得精美大方,形状各异,有大的、小的、圆的、方的、元宝形的、长方形的、四角形的。日常生活中,洗衣装菜,摘豆采茶,买货打猪草,都离不开它。那种圆圆的、上面有盖的竹篮,我们称为"饭篮筲箕"。夏天,用它装上剩下的饭菜,挂在老屋的梁上,老鼠吃不到,又通风防馊。小时候傍晚时分放学回来,瞒着外婆,提着竹篮,偷偷地到墙门外面的小河捉鱼抓泥鳅,大部分时间都没有收获,基本就是"竹篮打水一场空"。

元宝篮

YUANBAOLAN

元宝篮因形似元宝而得名,前低而后高。前低,方便人进出;后高,是为了靠背,让躺在里面的人舒服一些。元宝篮由竹篾编织,分内外两层,内层光滑细密,外层松散美观。底部由硬竹片支撑,十分牢固。前后端分别装有竹环,穿过杠棍可以抬着走。为了防止虫蛀,元宝篮通身还要用清漆漆上一遍。

元宝篮是过去农村的"救护车"与"婚礼车"。产妇和病人上医院都要用到它。有一年,我邻居家的孕妇肚子痛快要生了,他家急急忙忙借来元

宝篮,在篮底铺上棉被,搀扶孕妇坐上,公公与丈夫抬起就往公社卫生院送。还有一次生产队一个社员跌断了腿,也是让他坐上元宝篮送医院的。

旧时宁波农村婚俗,女儿出嫁,双脚不能落地,要由兄长抱着离家。当时没有汽车,花轿则被当作"四旧",不能坐了,接送新娘的变成了元宝篮。哥哥抱着妹妹,将她轻轻地放入元宝篮,夫家派来的人抬起来,跟在嫁妆担的后面,沿着土路屁颠屁颠地走了。如果夫家或娘家人没有将抬篮人摆平,新娘子就要吃苦头了,他们会将肩上的竹杠使劲上下耸动、左右晃动,让新娘子像坐在波浪上的小船一样,颠得恶心膳膳,苦不堪言。

上世纪七十年代以后,公路、机耕路通了,手拉车、拖拉机以至汽车进了农村,元宝篮逐渐丧失了它的功能,现在再要找一只元宝篮可不容易了。

> **黎艻有语**
>
> 元宝篮是江浙一带的特色物产,从清代到上世纪五十年代,元宝篮在民间社会生活中一直扮演着极其重要的角色。作为一项传统手工艺,元宝篮存在的历史已有数百年,有民间人士考证,

元宝篮的起源可以追溯到明末清初。元宝篮在江浙农村一度极其流行,新中国成立前曾是两地百姓的主要出行工具,也是走亲访友的重要工具之一。老底子走亲戚时,大家都喜欢拎一只元宝篮,篮子里放几斤糖果、切两刀肉,不少农家妇女甚至还会用元宝篮提着婴儿在村里闲逛。在长期的生活中,元宝篮与两地的风俗紧密联系在了一起,因此派生出很多功能,如被当作老年人出行时的"轿子"和女子出嫁时的"花轿"。如果嫁得如意郎君,坐在元宝篮里该是多么的春风得意;如果嫁的是瘸子麻子,坐在元宝篮里该是如何的悲伤与无奈!所以,一个元宝篮,承载的又岂止是民俗风情、无边风月,它是一代又一代的女儿心事、悲喜人生。"江南春风得意,席卷一城烟雨;叶底落红,檐边飞絮。尽随一江春水东去,晓看红湿处,何处是旧迹?"元宝篮里,几度花开、几番花谢,拨开尘埃、燕子飞时,是一瓢饮与弱水三千。

茶篓与蛇篓

CHALOU & SHELOU

茶篓与蛇篓都是竹篾编制的容器,在宁波方言里,读音一模一样,因此容易混淆。但茶篓与蛇篓在外形上是不一样的,茶篓上圆下方,口子敞开,高度约五十厘米。采集茶叶时背在肩膀上,或两只连在一起挂在脖子上。江南民歌《采茶舞曲》里描写采茶的场景是这样的:左采茶来右采茶,双手两眼一齐下,一手先来一手后,好比那两只公鸡争米上又下。两个茶篓两膀挂,两手采茶要分家,摘了一回又一下,头不晕来眼不花,抖一抖来挎一挎,年年丰收有清茶。

这首民歌起源于杭州,说的是春天采摘龙井茶的情景,采茶时,茶篓是挂在采茶女的脖子上的。

蛇篓的形状有点像没有头部的人的上半身,有脖子、有肩胛,主体部分呈梯形,空间较大。考究一点的蛇篓还做有竹盖子。由于蛇篓上面

口子收缩得比较小,而下面的空间大,比较适合于盛放捕捉到的黄鳝、泥鳅、黑鱼甚至蛇类等活物,这些动物尽管生性狡猾,但关入蛇篓后便再也不能逃生了。

宁波话里,说一个人像"蛇(茶)篓",就是在骂人了。蛇篓在宁波话里的意思是说此人是"日光族",贪图物质享受,有钱马上花光,有吃就吃,有玩就玩,不懂得珍惜生活、不考虑明天的事情,过着今朝有酒今朝醉的生活。被称为"蛇篓"的人处于社会的底层,被人看不起,当然他们吃的东西也是低档次的,所以宁波人又把调料只有酱油和葱花的"阳春面"称为"蛇篓面",意为穷光蛋吃的面。

黎芗有语

《采茶舞曲》的词曲作者周大风教授是宁波人。乐曲采用了越剧音调,融进滩簧叠板"多上一下"的曲式,又吸收了浙东民间器乐曲"四则"的音调作引子,并采用有江南丝竹风格的多声部伴奏,唱起来曲调优美、朗朗上口,很有江南意韵。习惯唱茶歌的采茶人,背上山花一样盛开的茶篓,在风中晃出淡淡的影子,提着满满一篓绿色的声音。一心,两叶,三叶,统统挤在一起叽叽喳喳,就是琴声最抒情的部分,就是赴一场和春天有关的舞会。茶篓可以见证,从山头到心头,或者是从心头到源头,吉祥幸福源源不断。

刀笼簚

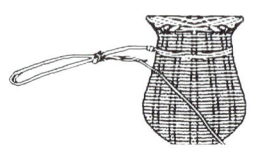

DAOLONGBU

刀笼簚，由竹篾编制，长约三十厘米，上端椭圆，下端偏平，中间穿过一条绳子，可系在腰际。顾名思义，刀笼簚的主要作用是插刀。农民上山下田干活，肩上可能扛着锄头，手上拿着簸箕，再要带把柴刀，就没办法了。于是便在腰上系一只刀笼簚，把柴刀插入簚里，干活的工具就全了。如果刀笼簚的作用仅仅是插柴刀，那也太浪费了。因为它本身就是一种小型的容器，农民物尽其用，随身携带，把它变成了干活时顺手捡拾山珍田鲜的"聚宝笼"。耕地时，见到被翻上来的泥鳅、黄鳝，俯身捡起甩入簚里；耘田时，摸到田螺扔到簚内；小沟里有鱼虾，抓住了，也放入簚里，任它们在里面活蹦乱跳。上山斫柴砍树，见到野蘑菇、野果子，刀笼箅会装得满满的。

我们小时候到生产队已经收获过的马铃薯田里拾遗，也会手持锄头，腰系刀笼箅，下田后一锄锄挖过去拾遗捡漏，挖到一只就往箅里放一只，直到全部盛满。兴冲冲拿回家洗一洗，放在铁镬里盐水煮烤，一小时后，泛着盐花，皱起皮，又香又韧的盐烤马铃薯便出炉了，味道特别香浓，一连吃十几个都不过瘾。

|黎|艺|有|语|

别在腰间如刀削，挂到高处似饰品。刀出鞘，人扬眉，空箩出门满箩归。何事劳作乘晚风，却等来年好光景。至于那拾遗捡漏带来的口福，实在是童年记忆中最值得回味的快乐。一年又一年，渐渐消瘦了的是时光，越来越丰满的是回忆。那些从刀笼箅里捎带回来的美味：烤田螺、炒黄鳝、蒸泥鳅、煮蘑菇、腌鱼虾，还有盐烤马铃薯，无一不是舌尖上的故乡、心海里的外婆桥……

黄鳝笼

HUANGSHANLONG

黄鳝笼,一种竹篾编制的诱捕黄鳝的渔具。黄鳝笼呈长圆条形,小孩小腿粗细,一头大一头小。大头的那端往里面凹,中间有一孔,孔周边的篾条有弹性,把孔团团围住。黄鳝钻进孔里觅食,篾条弹开,进笼后篾条自然闭合,再要出来就不可能了。小头那端有一个口子,用于安装木塞。木塞的中间插有一根细竹针,用来穿蚯蚓。蚯蚓身上会发出一种特殊的气味,对黄鳝有极强的吸引力。所以蚯蚓是捕捉黄鳝的最适宜的诱饵。但又不是每一种蚯蚓都能作诱饵,只有一种身上会发出青光、个头比筷子略粗的青蚯蚓才会对黄鳝有吸引力。据说用红蚯蚓作诱饵会引来水蛇,挺吓人的。这可能是实践得出的经验吧!

上世纪八十年代初,宁波农村普遍种植双季稻,水田里黄鳝、泥鳅、田螺等水生生物很多。黄鳝生活在田塍、水田的水洞里,一般白天蛰伏,夜出觅食。人们利用其生活习性,以蚯蚓作诱饵,以黄鳝笼囚之。

晚春或夏末秋初的傍晚,小伙伴们挑着一担黄鳝笼走在田塍上,选择一块稻田,跨进稻丛,每隔十几米放一只黄鳝笼。放的时候,将三分之一的笼体压入泥中,三分之二露出水面,便于黄鳝游入。第二天清晨,小伙伴又出发奔向田头,一只只回收笼子,运气好的,60%—70% 的笼里会有黄鳝,个别笼子里可能还有两条。挑笼回家,一只只拔出塞子,把黄鳝倒入瓦缸里,看着爬来爬去的几十条黄鳝,满心喜悦。

宁波人把吝啬小气的人称为"黄鳝笼",因为"黄鳝笼"的特点是只进勿出,吝啬的人也一样,只知道要别人的钱财,如果要用他的钱请客送礼做好事,那是万万不能的。所以,如果知道了此人有"黄鳝笼"脾气,父母亲或亲朋好友就会提醒你,不要与此人交朋友,否则是要吃亏的。

黎芗有语

那是诱敌深入的技巧、请君入瓮的智慧。在乡村,有消失或处于消失之中的事与物,就像曾经戴着草帽、拿着钩子、提着篓子钓黄鳝的不多见了。而生成并延伸着的依旧是我们看得到、感受得到的乡土的本真与气息,就像放黄鳝笼子的农人们,在增添了意外收获的同时也成了乡村里一道生动别样的景致。

箩

LUO

箩是竹制的容器,主要用于运输和贮存谷物。人民公社时代,每个生产队都拥有数量众多的竹箩,几乎每个男劳力都有一副。每户农民家里也有几副各种类型的竹箩。

宁波地区盛产毛竹,奉化、余姚一带满山遍野长满了竹子。毛竹繁殖力强,竹材取之不尽、用之不竭,加上价格便宜,许多农具和家庭生活用具以竹代木,都由竹材编制,竹箩便是其中之一。编织竹箩是篾匠的基本手艺,每年入冬以后到开春之前,生产队会请上几个篾匠在仓库里

集中编织竹箩。一根长长的毛竹,在篾匠手里去头去尾,由篾刀剖开,一分为二,二分为四,直到细分至像鞋带那样粗细,再把每一条竹丝剖成"篾青"与"篾白"。所谓篾青是竹子的表皮层,呈青色,韧性好、光滑度高,一般用于编织密闭度好、比较精致的竹箩。这种竹箩,我们叫"夹箩"。篾白就是竹子的里层,相当于"竹肉",呈玉白色,质地差一些,适宜于编织比较粗糙、常用的竹箩。这种箩,我们叫"单箩"。准备好竹丝后,篾匠们开始编织,并没有图纸作参考,编织起来却经是经、纬是纬,像模像样。半天下来,手脚利索的可以打好一只竹箩的内芯,接着便在内芯的四周插入四条两指宽的粗竹片,作为筐体。粗竹片十分挺括,不容易折弯,篾匠先在需要弯曲处挖去一点竹肉,然后放在火堆上加热,竹片遇上火便软化了,很容易弯曲成九十度角,篾青上还会爆出竹油来。装好筐体后,再在上口用稍粗的篾白条打上一只竹圈,并在竹圈的四周缚上四个由麻绳制作的环。至此,一只上圆下方、结结实实的竹箩便编好了。

竹箩的用途十分广泛。我们水稻地区,春收春种、夏收夏种、秋收冬种等几个关键季节,几乎每天都要用到竹箩。初夏,油菜籽、草籽种打下后,因为颗粒细小,单位体积重量大,用夹箩盛放最适宜,不会漏掉;早、晚稻收割后,从打稻机起出的含有草绒的湿谷,要用单箩挑到晒场扬晒。到粮站交公粮也是用竹箩挑过去的。搞副业收获的西瓜、芋艿、番薯、蔬菜、桃子、梨头等等,也是装在竹箩挑到仓库后再分配给社员的。农民家里也离不开竹箩,没有米缸谷仓的,就用竹箩代替了。逢年过节,男的会挑上一副竹箩,一头装一个小孩,一头放行李和礼物,晃晃悠悠走亲

戚去了。连嫁女儿也要用竹箩装嫁妆,沿路看热闹的还要数数这户人家的嫁妆有几担几杠。

随着塑料制品的普及,现在竹箩已经越来越少了。可我觉得贮藏和运输货物,竹木制的容器是最好的,又生态又环保,而且经久耐用,可惜都不用了。

|黎|芗|有|语|

出自高洁挺拔的翠竹,成为下方上圆的箩筐。出身清白,用途广泛。晃晃悠悠间,划过多少岁月?四明山里,漫山遍野是竹海,自古以来,村民们就养成了靠山吃山的传统,竹编工艺应运而生,竹箩编织长盛不衰,农人们编的竹箩无一不是手工精细、结实耐用、实用性强、无毒无害的。可惜的是,与无数老农具一样,竹箩也正在淡出人们的生活。而世界上最大的竹箩即将在佛山问世,据说这个世界第一大竹箩是由四位女性能工巧匠,历时一个月,花了6吨毛竹,编织而成的一个高约4.3米,底宽3米,体积约为48立方米,可装55吨物的竹编巨无霸。我想,这一竹编巨箩,一定能够激发起人们对传统文化的回忆,弘扬物质文化传统吧!

猪笼

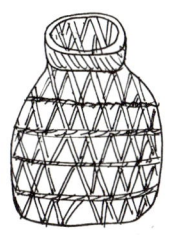

ZHULONG

猪笼由竹篾编制,是运输猪只的工具。我见过的猪笼有两种:一种用于捆绑成猪。笼体圆柱形,周边有许多大小不等的孔,口大,便于将猪塞进里面。猪在笼里就好像五花大绑一样,动弹不得,任人处置。另一种用于运送猪仔。笼体呈圆锥形,中间空间较大,上面有一收拢的口子,仅限一只猪仔进入。这种猪笼大的可放三四只猪仔,小的可以放两只。养猪娘的农民,在猪仔长到三十至四十天,体重在二十斤左右时,便将它们放进猪笼,挑到市场出售去了。

不知从什么朝代开始,猪笼演变成了刑具。民间有将违反了道德规范的人塞入猪笼,浸入水中或沉入河底的,名为"浸猪笼"。浸猪笼并不是国家刑罚,是一种私刑。惩罚的主要对象是女子。未婚女子与男人偷情,已婚女子与丈夫以外的其他男子发生性关系,甚至寡妇不守妇道与人关系暧昧,经族中长者调查核实,证据确凿的,就要被浸猪笼;如果某个男子被证实是奸夫的,会受到同样的处罚。根据影视作品和有关书籍的描述,"浸猪笼"的具体经过是这样的:把被认定为"淫妇"的女子五花大绑,塞进猪笼,并在猪笼里放进石块增重,使猪笼加快下沉。在河岸竖一架子,架子上缚一木杆,将猪笼上的绳子连上木杆,吊起悬在河中央,慢慢放绳子,猪笼下坠。如果此人情节不重,可免死罪,则将笼子没入水面后再重新拉起,放下拉起反复几次,让受刑者喝饱河水。见受刑者昏死过去后,收起猪笼扔在岸上。如果此人已经罪无可赦,则将猪笼一沉到底,让其溺水而亡。值得庆幸的是,那个摧残人性、任意剥夺生命的"浸猪笼"时代一去不复返了,几千年来规范妇女行为的、以"三从四德"为主要内容的封建道德观也被扔进了历史的垃圾堆。当然,再也不会发生"浸猪笼"这样的丑恶行为了。

自然界还有一种植物,其拥有一个独特的吸取营养的器官——捕虫笼,捕虫笼的外形又很像猪笼,因此被称为猪笼草。捕虫笼会分泌香味,以引诱昆虫。待昆虫进入笼内滑进笼底后,即被笼底分泌的液体淹死,逐渐被植物消化吸收,成为猪笼草的主要营养来源。猪笼草是热带植物,广东、海南可能有分布,一些植物园里也有引种,是一种很独特的植物。

|黎|艺|有|语|

猪笼装人四面透,冤魂泪满江河共。多少帝王宠,亦遭浸猪笼!猪笼,本来只是为了方便运输猪仔而制作的竹制工具。后来被用作残酷的私刑,用来惩罚"出轨者"。而在三百年之前,郑板桥断案时,放过了一对险些遭遇浸猪笼的有情人,实在是一段难得的百年佳话,属于小概率事件。

土箕

TUJI

土箕,一种竹制的担土担肥的工具,下面像直立剖开的鸭蛋,但前端有口子,后端高起,边框上安装竹环,以方便挑担。

过去农村几乎家家户户都养猪养鸡,生产队也有集体的养猪场,猪粪、鸡粪都是很好的农家肥,不仅含氮含磷,能满足作物生长的需要,而且作为有机肥能有效改善土壤团粒结构,增加土壤肥力。家里的猪粪、鸡粪积得多了,就要向生产队投肥,以换取工分。这时就要到猪栏里用土箕装粪,挑到生产队指定的田里,作为马铃薯、番薯及油菜、麦子的追肥。同样,集体养猪场的猪粪累积到一定程度也要挑到田里施用。这个活一般由女社员承担。十几个妇女每人挑一担装满猪粪的土箕,前前后后走向田间。放下担子,徒手一把一把壅田,壅完后回到猪场再挑一担过来,再壅到田里。我刚参加农业生产时,与女社员一起干过这活,猪粪分量倒不重,挑起来也不感到吃力,就是一把把壅田,不仅气味难闻,而且

空手捏粪,心里接受不了。但为了挣工分,再苦再脏也得干。收工后,回到家拼命用肥皂洗手,洗上四遍、五遍,手上还是有猪粪的味道。

|黎|芗|有|语|

土箕,装粮装土也装粪;锄头,锄草锄泥更锄禾;扁担,挑桶挑箩挑土箕;笔杆,写景写情写回忆。

浙江、福建一带的南方土箕,就是北方人口中的竹簸箕。比起北方的竹簸箕,南方的土箕外形要小巧很多,但内里却比较深,能装载很多东西。最具特色的恐怕就是在土箕的上方有一道拱形的硬把手,可以把土箕像篮子一样挈起来。在土箕的尾部还有一个巴掌大的竹环。干活的人们把土箕装满后,用担子勾着那拱形的把手,晃晃悠悠地走去。到了目的地,把担子一放,用勾把手的钩子勾住那个竹环,用手轻轻向上一提,土箕直立、重物倾出,省时又省力。返回途中,土箕已空,别无他物。农人们大多用钩子勾着那个竹环,悠悠然然地走在青山绿水之间、阡陌交通之上。竖着的土箕在暖阳清风里闲闲散散、飘飘荡荡,犹如两只低飞的纸鸢。此番光景,谁能不说这是一幅田园风景画呢?原来,土箕也是可以入画的啊!

草帽

CAOMAO

草帽具有遮风挡雨蔽阳的功能,是农民生产活动中不可或缺的防护用品。编织草帽的材料一般是水草、席草、麦秸等。我们那儿基本由席草编织。

为了适应家庭副业的需要,当时生产队每年都会种植一两亩席草,待初夏收割晾干后分给各家各户。妇女们拿到席草后,利用工余时间开始编织,往往是几个妇女坐在小凳子上,以膝盖当操作台,一边手不停,一边嘴不停,手上波浪翻滚,嘴里家长里短,直到晚上九十点钟才歇手。

手脚快的一般两天可以打成一顶,慢一点的就要三四天了。毛胚卖给供销社,质量上乘的每顶可收入一角八分至二角,扣除席草的成本三至四分,一般每顶可赚一角五分左右。即使收入这么微薄,妇女们仍然日以继夜地干,心里想的就是一季下来能挣五六元钱也好,至少可以买一块布做一件新衣服了。

如果打好的草帽,家里人要用,则还需要到专门的加工点进行模压,我们称为"块"。"块"过以后,帽筒的顶端和洞壁的正中凹进,分得清正反,帽檐内边四周缝上了一圈黑布带,增加了美观度和耐用性。妇女们自用的草帽,一般不"块",打好后直接可戴。样式与男人戴的也有所不同,主要是帽檐更宽大,戴上后阳光很难照到脸上。为了防止被风吹走,在帽筒末端对称的部位穿过一条绳子,系在下巴上。有些爱美的姑娘还会在帽檐上系两只红红绿绿的蝴蝶结,干活时被风一吹,真的像蝴蝶在翩翩起舞,引得一些小年轻不时抬头往姑娘那边看。

草帽不仅能遮阳挡雨,而且还有其他防护作用。晒谷场的妇女在扬谷去杂时,都会在头上盖一条毛巾或一块布,再戴上草帽,这样灰尘和草屑就不会吹到头上或进入衣服内了。养蜜蜂的,在取蜜糖时必定戴着一顶四周缝上纱布、可以套住整个脖颈的草帽,那些被夺走了劳动成果的蜜蜂们,即使想报复而发起进攻也无从下手了。

现在,除了传统的草帽外,衍生出了许许多多的作为装饰、用作姑娘扮俏的草帽品种,颜色更丰富、样式更时髦、材料也更多样,如果到专做草帽的工厂去参观,一定会让你目不暇接、美不胜收,说不定还会心痒痒地买上几顶,让自己也臭美一下呢!

黎艺有语

一说起草帽,就想起了西条八十的《草帽诗》。当年,日本推理小说家森村诚一曾将其创作的《草帽诗》引用到小说《人证》中,20世纪80年代初,根据小说改编的同名电影也曾在我国风靡一时,其中的由《我的草帽》改编而来的插曲《草帽歌》更是传唱至今。大屏幕上,随着"妈妈,我多么喜欢我的草帽,妈妈,一阵清风把它刮跑……"的悲怆歌声响起,一顶草帽在山谷间黯然飘落,坐在黑暗里的人们刹那间被亲情幻灭、生无可恋的哀伤深深刺痛。残酷的战争对人性的掳杀、对母性的沦落、对亲情的戕害造成的灭顶之灾,令人扼腕叹息、伤痛不已。坐在黑暗的电影院里眼看着母亲杀子、亲情不再的悲剧在大屏幕上演绎,不由得伤心欲绝、泪流满面。

簽

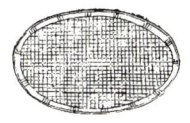

ZA

  竹匾，我们叫"簽"。簽用竹篾编制，扁圆形，用来晾晒和盛放东西。最初知道"簽"是一个谜语："天上一只簽，簽里一只蟹。"谜底是蜘蛛。渐长大，看到家里晾霉干菜，母亲会喊：把那个簽拿来，知道那个竹子做的扁扁圆圆的东西叫簽。读书以后，尤其是读鲁迅的小说《故乡》，明白了簽就是竹匾。鲁迅在写他小时候回故乡绍兴，要小伙伴闰土捕鸟时，闰土说："这不能。须大雪下了才好。我们沙地上，下了雪，我扫出一块空地来，用短棒支起一个大竹匾，撒下秕谷，看鸟雀来吃时，我远远地将缚在棒上的绳子一拉，那鸟雀就罩在竹匾下了。什么都有：稻鸡、角

工匠之心

鸡、鹁鸪、蓝背……"其实，闰土干过的雪地捕鸟，我们小时候也经常干，一只簏给我们的童年同样带来了很多欢乐。

每户农家都有四五只簏，主要功能就是晾晒食材。咸菜从缸里取出，切碎后与春笋拌在一起，放入簏里，在日光下晒上几天，就变成了笋丝霉干菜，用来烤肉或做汤，风味独特；冬天，把年糕切成片，在簏里晾干，可以存放半年以上；遇上放爆米花的，在那个神奇的炉子里转上一会儿，开口一爆，变成了又酥又脆的"年糕胖"，美味可口，大人小孩都爱吃；水磨糯米粉，掰成一块块，也要在簏里晒干，过年前几天家家户户都会在自己的家门口晒上几簏面粉，预备过年时做汤圆。其他，如制作番薯干、萝卜干、山芋粉等，都是在簏上完成晾晒的。

簏的另一个功能是作筛子，筛选大小粗细，过滤杂物碎石，这种用作筛子的簏，底面有孔，根据不同的用途，每一只簏的孔径也不同，有大有小。如筛米的簏，孔相对小点，只要把碎米漏下去就行了；筛焦泥的簏，孔相对大一些，细土从簏孔漏下，石块、草绒留在上面，集中堆放。宁波农村又把过筛称为簏，作动词用，如这堆垃圾要壅田了，赶快去"簏一簏"；这袋米碎米太多，还有细石子，要好好簏过。

可以说，农家生产生活，簏是经常要用到的辅助工具，现在这个季节到农村去，仍然可以看到矮墙上、屋檐下，一只只簏晒着当地的土特产。在宁波地区，也有不少地方把簏叫作"团匾"的。

黎艺有语

晾晒食物,筛选物品,一张竹匾,装满一家的生计、孩子的美味,筛去生活的艰辛、劳作的苦累,留下太阳的香醇、乡愁的味道。秋来春去的时光里,每见梅花繁闹、绿柳依依。冷色山河,烟火人间和这面竹匾一般还是最初模样,而我们又何曾还是当年的自己?那时乡村,立春过后,柴门冷巷芳菲次第,门庭小院绿芜深深。樵夫林径担柴,浣女溪畔濯足,白叟江岸垂钓,黄童骑牛吹笛。山河朗润、竹匾晾翠,满簌的清风明月,不肯早早醒转;满眼的紫霞炊烟,不肯早早散去。也好,临簌感怀,恰如临水擦身,照见童年的你和我。太阳的香醇悠悠长长,乡愁的味道缠缠绕绕……

针线盘

ZHENXIANPAN

针线盘也叫家空篮,由藤条制作,因此又称为"藤盘"。铁皮饼干盒大小,漆成黑色或大红色,里面放着必备的缝纫用品。记忆中,针线盘里有线绷、抵针、线团、剪刀、纽扣、钻子、粉线袋、针、夹子及碎布等,好似一个百宝箱。

线绷。与现在电视机遥控器的尺寸相似,但上面雕刻着花纹,还漆成了红色。线绷的两头分别缠绕着两团线,一般一团是白线、一团是蓝线或黑线,因为这几种颜色与日常穿的衣服最搭配,线里插着几枚常用的缝衣针。做针线活时,从线绷的一头拉出线头,穿过针眼,便可以缝缝补补了。

抵针。也叫顶针,铁或铜制,圆柱形、中空,宽度约一厘

米,手指般粗细,四周密密麻麻遍布小凹点,一般戴在右手的食指或中指,而且中间不闭合,可以根据手指的粗细进行拉伸或缩小。抵针的作用是在缉布鞋底或缝棉袄、被子等比较厚的物件、针线穿不过时,顶向针尾,让针头向上拱出。

  钻子。由木柄和钢针组成,是做布鞋的辅助工具。布鞋由鞋底和鞋帮(鞋面)两部分组成,鞋底与鞋帮缝合时,由于鞋底太厚,针穿不过,要先由钻子钻透,再将针穿过。专业的做鞋师傅做鞋补鞋也要用钻子,但他们的钻子头上有一弯钩,可直接将线拉上来,不必再用针了。

  粉线袋。裁剪衣料前打线用的小布袋,内装色粉,一根粗线从中穿过,只要拉直了,在需要划线的布料上轻轻一弹,就打上了线。手巧的主妇就可以按所打的线来下刀裁剪了。粉线袋也有被泥瓦匠借去打线的。

  夹子。由木头制作,形如一只小鸟,像老虎钳一样可开合,用于拔针。缉鞋底针穿不过来,只露出半截,又用不上力气,只好依靠夹子,夹子夹住针的中间部位,往上一拔,针就出来了。

  针,是针线活的主要用具。根据不同的用途,针可以分为缝衣针,短短细细的;缉鞋底针,粗壮略长;缪(音"影")被针,细而长;绗针,长而略粗,用于做棉袄时固定棉花或丝绵;还有绣花针等。针虽然很多,但主妇们仍然珍惜得很,如果有一枚断了,会心疼不已。

  我们的少儿年代,农村很少有缝纫机,也没钱到城里买衣买鞋,一家老小身上穿的,全靠母亲一针一线做出来。雨天或晚饭后,邻居的妇女们便三三两两地集聚在一起,每人面前放上一只针线盘,坐在吱吱作响的竹椅上,借着昏暗的煤油灯,干起了针线活,有

的缉鞋底、有的补破裤、有的织毛衣、有的缝新衣,一边双手不停,一边聊天起劲。一些上了年纪眼力不好的,正好可以请人帮忙穿针眼。一针一线倾注了她们对家人深深的爱。不知不觉中一只鞋底缉好了,一个破洞补好了,一件新衣做成了,她们的脸上也露出了甜甜的笑意。

黎萝有语

　　针线盘也有叫针线簸箩的,当年我家就有一个。水柳条编成,圆圆的,穿着朱红色的外衣,很结实、很耐用,是外婆传给我母亲飞针走线的工具箱和百宝盒。簸箩里盛着针头线脑、纽扣,还有线板、顶针、钻子、剪刀、碎布、尺、划线粉等,缝缝补补的物件一应俱全。白天,母亲在工厂干活;晚上,针线盘就成了母亲耕耘生活的一方田园。那时,家里上有外婆、下有姐妹三个,父亲长年在外工作,虽然不算太穷,却也并不宽裕。是母亲用灵活的巧手侍弄出一家大小的满足,将平淡无奇的日子缝得暖烘烘、温润润。"巧裁幡胜试新罗,画彩描金作闹蛾;从此剪刀闲一月,闺中针线岁前多"。每逢过年,母亲做针线、缝新衣、纳新鞋,领子镶花边、襟前绣团花、鞋底贴橡胶,给我们穿戴得又干净又美丽又有尊严。平常时候,旧了的衣服翻个面修旧如新,短了的裤腿镶拼成图案接长再穿,是母亲的拿手绝活。因为手巧,又乐于替人代劳针线活,我母亲在大墙门内外也就有了非常好的人缘、非常高的声望,成了大家的好阿姨。

草鞋

CAOXIE

"莫听穿林打叶声，何妨吟啸且徐行。竹杖芒鞋轻胜马，谁怕？一蓑烟雨任平生。料峭春风吹酒醒，微冷，山头斜照却相迎。回首向来萧瑟处，归去，也无风雨也无晴。"

苏东坡这首《定风波》词中提到的芒鞋就是草鞋。草鞋是中国农民传统的劳动用鞋，无论男女老幼，下地干活、上山采伐，无论阴晴雨雪、春夏秋冬都会穿上一双草鞋。草鞋具有透气、滤

水、轻便、柔软、防滑等特点,制作也不复杂,深受农民的喜爱。夏天穿着草鞋走路,清爽凉快,即使走远路,也不会起泡;雨天穿它,雨水顺着脚面流进草鞋,很快就渗入地面,而且还能防滑;冬天穿上一双厚袜,套上草鞋,脚底暖烘烘的,遇上冰面还能防滑。因此,至今山区的许多农民仍然有穿草鞋的习惯。

草鞋的起源很早,相传为黄帝的臣子不则所创造。它的最初名字叫"扉",汉代则称"不借"。古代时,上至帝王将相,下至平民百姓,几乎都穿草鞋。这方面的历史,既有文献记载,也有考古发现佐证。据史料,汉文帝刘恒曾穿着草鞋上朝,三国时的刘备潦倒时曾以卖草鞋为生,可见不论贵贱都喜欢穿草鞋。

制作草鞋的材料很多,稻草、麻类、箬壳、咸草甚至玉米秸等都可以。我小时候看到过老农织草鞋的情景。我们那儿的草鞋是纯稻草做的。记得他先把稻草搓成细细的绳子,绳子折起来套入木钉,绕成一圈,然后一束草、一束草地缠绕,左右两边还要留出几个环,用于以后穿鞋

绳,织到后跟时要收尾,由粗到细,打成姑娘的辫子状。最后用剪刀修边修底、穿好麻织的鞋绳,一只草鞋就织成了。如法炮制,再织第二只。当然左脚右脚在编织时会有所区别。

草鞋发展到现代,开始向工艺品转变,编织的技巧更加细腻,材料更加讲究,即使是稻草也要经过漂白。草鞋上还缀上了象征吉祥如意的花纹和装饰品。这种手工编织的草鞋高雅时尚,既可挂在墙上作为装饰,也可以作为鞋子穿在脚上,被许多追求时髦的女士、先生们所喜爱,不少还成了畅销海外的出口商品。

|黎|艻|有|语|

宋代诗人释梵琮有《草鞋歌》云:"村里人,有意知,就手织成最容易。长短大小在目前,密用工夫多快利。草窠里面跳出来,结却绳头有巴鼻。牢束跟,紧在耳。掷地作金声,举步离泥水。着入千山与万山,把定脚头并脚尾。赵州尽力戴不起,玄沙吃绊趯着指。拖来拖去底头穿,轻轻扬在粪堆里。"

席草扇

XICAOSHAN

过去农村既无电扇,更无空调,闷热的夏天想获得一丝凉快,主要靠扇子。当时的扇子按制作的材料不同,分别有芭蕉扇、席草扇和麦秸扇。芭蕉扇产自广东、海南等地,由蒲葵的叶与柄制成,因此又叫蒲扇,活佛济公所持破扇便是蒲扇。因其质轻面大价廉,十分畅销,使用广泛。但蒲扇要出钱购买,农民舍不得花钱,所以家里蒲扇不多,只有一两把,而且十分珍惜。买来以后还要用布条绲边,将扇子的边缘包起来,防止扇面裂开损坏。农家用得最多的是自己编织的席草扇和麦秸扇,几乎人

手一把,随手就能拿到。

席草扇由母亲和女儿们编织。先要打顶,就是先编中心部位,由中心向四周拓展,手巧的会编织出菱形的、方形的花纹,想再美观一点,会将染成红、蓝、绿等颜色的花草,镶嵌编织在扇面上,扇子便更漂亮了。扇子的形状也多种多样,有圆形的、方形的、鸡心形的,编好以后还要装上扇柄。扇柄由竹片制作,上端剖开,插入并夹住扇面,再用玻璃丝带上下扎紧,一把美观实用的扇子便俏生生地呈现在你面前了。麦秸扇的织法略有不同:要先筛选麦秸,剪去麦秸的根和头,编成一条长长的辫子,将辫子一圈圈叠起来,圈与圈之间用线进行缝合,组成一个圆盘,这个圆盘便是扇面了,装上扇柄就是一把麦秸扇了。

夏天的晚上,搬一把椅子,拿一把扇子,坐在弄堂口或家门口,摇动扇子,清风徐来;拍一下扇子,蚊子飞跑。尽管天气闷热,但坐在静谧的夜色里,心情宁静,加上扇子带来的阵阵凉风,白天疲惫的身子便完全放松了。

　　小时候家里用煤球炉子,生火时也要用上扇子。在炉芯里放上引火柴,用火柴一点,火不旺烟很浓,怎么办? 拿起扇子往炉门扇风,火便窜上来了,蓬蓬勃勃的。这时,便可往柴禾上放煤球或煤饼了,不一会儿煤球发红,炉子旺了。

　　扇子还被写进了古代慈孝故事里。东汉有个儿童叫黄香,他九岁时母亲便病故。失去母亲的黄香把全部孝心都倾注在父亲身上。三伏盛夏,酷热难当。每天吃过晚饭,细心的小黄香便拿着扇子在床边扇枕席,左手扇累了,换右手,右手酸了再换左手。就这样一来一回地扇着,一直扇到席子暑气全消。黄香便请父亲上床睡觉。一夜、两夜……整整一个夏天都这样。过了秋天,隆冬来临,孝顺的黄香为了让父亲睡得舒舒服服,每天晚上就会钻进冰冷的被窝里,用自己的身体把被子焐得暖烘烘的,然后再请父亲去睡,让父亲免去寒冷之苦。这就是著名的黄香"扇席暖床"的故事。

　　现在,夏天我们已经很少用到扇子了。单位里、家里,空调一开,满室清凉,农村家庭再不济也有电风扇。但扇子带给我们的凉爽却是空调和电风扇无法比拟的。它不需要用电,生态环保;它的风是自然的,不会使人受凉感冒;它又是可携带的,方便实用。所以,我们还是应该多用用扇子,少用用空调,对自己对社会都有好处。

黎艺有语

"扇扇凉,不赖娘。摇啊摇,摇到睡着了。"昔日的夏天摇扇纳凉为人之所需。尽管电风扇、空调早已走进城乡的千家万户,但上了年纪的人经常会回想起过去那名目繁多的扇子,更不会在逝去历史的记忆里挥之即去。儿时没有电风扇,扇风的器具就是扇子:蒲扇和草扇。蒲葵扇,俗称蒲扇,亦称葵扇,由蒲葵的叶、柄制成,质轻,价廉。草扇也叫席草扇。席草扇其实也有不是用编席子的席草制的,而是用棕树叶加工制作的。那时还见过纸扇,主要是演戏用的,不经用。席草扇,这种曾经陪伴了很多老一辈宁波人的物件,如今逐渐消失在人们的视线中。当空调、电风扇入侵我们的生活,谁还会记得那年少时,外婆手里为你轻摇的草扇?如今,这样的席草扇在宁波已经不多见了。但在上了年纪的老人家里,依然经常可以见到席草扇在"六月朝天扇扇子"的炎夏发挥着作用。席草扇不仅是传统的日用品,更是一种鲜明的文化符号和关于从前的深刻印记。在我父母家,就有这样的席草扇。他们说,身在电风扇和空调时代,虽已不太在乎寒暑之变化,但仍喜欢摇着扇子度夏,并企盼扇子能再度回到生活中来,这不但节能又环保,更是文化传承。

蓑衣

SUOYI

"千山鸟飞绝,万径人踪灭。孤舟蓑笠翁,独钓寒江雪。"

柳宗元的这首《江雪》,生动地刻画了一个寒江独钓的渔翁形象。在漫天大雪、几乎没有任何生命的地方,有一条孤单的小船,船上有位渔翁,身披蓑衣、头戴斗笠,独自在江面上垂钓。

诗中讲到的"蓑笠",就是我今天要说的东西。"蓑"与"笠"分别是两种物品,"蓑"为蓑衣,是由一种不容易腐烂的草(我们这里是棕榈丝)编织而成的厚厚的像衣服一样能穿在身上用于遮雨的雨具,就像现在下雨时我们穿的雨衣一样。"笠"为斗笠,由竹篾和箬壳(笋壳)编成,戴在头上,既可遮雨,又可遮阳。蓑衣与斗笠一般在雨天配合使用。

蓑衣分上衣和下裙两块，编织复杂，估计没有五六天时间是编不成的，整个蓑衣好像一只大蝴蝶，两翼向上翘，中间用蓑骨做成圆领口。蓑衣披在身上，再大的雨也淋不湿。

我做农民时，家里还有一件蓑衣在，平时挂在墙上，旁边挂着的是斗笠，但我从来没穿过。隔壁的阿叔是队长，脏活累活都是他领头干的。他倒是在雨天经常穿着蓑衣去干活，干的主要是直立不用弯腰的活。比如，耕地耙田，穿着蓑衣，雨水不进。如果要弯腰干的活，穿蓑衣就很难操作了。

自从有了塑料、尼龙制品以后，蓑衣就失去了用武之地，又轻又薄的尼龙雨衣，还有一次性的雨衣代替了又笨又重的蓑衣。现在碰到暴雨也好，绵绵小雨也罢，一件尼龙雨衣在身就什么也不怕了。蓑衣、斗笠只能进博物馆了。

黎芗有语

"凄寂，黔娄当日事，总名士如河消得。只皂帽蹇驴，西风残照，倦游踪迹。廿载江南犹落拓，叹一人、知己终难觅。君须爱酒能诗，鉴湖无恙，一蓑一笠。"纳兰性德的《潇湘雨·送西溟归慈溪》一词，最有诗情画意、引人遐想的，便是这一蓑一笠。蓑衣，作为中国传统里古老的雨具，对今天的年轻人来说，已经显得非常遥远。蓑衣源于何时似也已经无从考证。从历史记载来看，早在周代，人们就已经开始使用雨衣，那时就称作"蓑衣"。传说中，上古时代虞尧登位时无衣可穿，种田人出身的他就是穿着蓑衣接受百姓祝贺的,可见蓑衣的历史之悠久。历史上,蓑衣不但对人们的生活影响深远,更是被历代文人骚客用笔墨构建意境,以诗词抒情达意。"归来饭饱黄昏后,不脱蓑衣卧明月",那是劳累了一天的人,把蓑衣当成了眠床,露宿在清风明月下。"青箬笠,绿蓑衣,斜风细雨不须归",那是在春耕时节,穿蓑戴笠的人在青山绿水的稻田中,扶犁耙、赶水牛,组成了一幅唯美的劳作画面。一袭粗朴笨重的蓑和笠,成了千百年来最具诗情画意的中国经典。蓑衣象征的春耕、清新、田园和怀旧、归隐、宁静的意境,从古到今都凸显着人们热爱生活、淡泊明志、返璞归真的人生追求与古典情怀。

油布伞

YOUBUSAN

现在的雨伞既轻巧又漂亮，折起来可放在包里，打开来可挡雨遮阳。上世纪七十年代以前的雨伞可不是这样的。那时的雨伞有两种：油布伞和油纸伞。油布伞的架子和伞柄都由木头制作，伞面是一块被桐油浸过的粗布，一般漆成淡黄色，伞又大又重，使用起来很不方便。油纸伞的骨架和伞柄由竹棒制作，伞面是油渍纸。相对于油布伞，纸伞就轻巧一些了。上了年纪的人都看到过"文革"时的一幅著名油画《毛主席去安源》，画中毛主席右手夹着的就是油纸伞。

油布伞和油纸伞比较容易破损,而且过去农民家里并没有太多的伞,有一把两把已经很不错了,所以对伞都很爱惜,即使破了坏了也要修修补补继续使用。这便催生了一个行业——修伞匠。修伞匠经常进村入户,边走边拖着长音叫喊:"修伞啦——修伞——"此时,便有人把其请进屋内,拿出破雨伞让他捣鼓。伞比较容易破损的部位是伞面和伞骨。伞面有漏洞,修伞匠会用一小块油布或油纸贴上,然后再在补丁处涂上桐油;伞骨断了,修起来比较复杂,要把伞架拆开,取下断掉的那根,换上一根新的,再重新把伞架装好。

现在可好了,伞是工厂成批量生产的,花色品种繁多,而且价格便宜,每户人家都备有好几把雨伞,如果坏了也就扔了,那个修伞行当也早已消失了。

黎芗有语

淅淅沥沥的小雨把我牵引到了我的外婆桥。在那里,有一把黄色的油布伞,它在雨中散放着淡黄的明亮,如一朵莲花缓慢前行。那里面有一个红衣女孩,她用细碎的脚步踢着雨水,那里还有一个老人,她牵着孩子,如同护着一盏红红的小灯笼……但是那样的场景已经远去了,那是时间不肯沉默的部分,雨水会在每时每刻把它唤起。每一场细雨飘落,都会在我的心里盛开一朵明黄色的莲花,那是外婆的油布伞、伞下的我和她。如果我现在还能撑起油布伞在雨中前行,一定会有慷慨的雨滴湿润我的眼眶、滑过我的脸颊,落在掌心的那一小滴水,一定还是以前的形状。就算是我握住了雨水,也握不住那种离别的忧伤。顺着掌纹,我还能不能看到逝去的外婆在伞下不舍的回眸,看见我心海里的外婆桥?

弹花弓

TANHUAGONG

过去，床上盖的被子、垫的被褥，都是用纯棉制作的，将棉花加工成棉胎称为弹花，弹花的人叫"弹花郎"，一般两人搭档：师父与徒弟。弹花工具由弹花弓、磨盘、弹花榔头等组成。弹花弓形状就像小提琴的拉弓，弓背由木头或竹竿制作，弓弦是一根长长的牛筋。磨盘是一块圆圆的硬木，光滑细密，很沉，用来压实被弹松的棉花。弹花榔头也叫弹花敕槌，也是木头做的，一头粗大，一头细小，用来敲打弹花弓弦。

那时，农家女儿结婚时嫁妆里是必须要有几条新被头的。做母亲的看到女儿长大了，几年来一直在存积棉花，有从供销社凭票购买的，也有从黑市偷偷高价买回的。到了女儿明确了对象，选定了出嫁日子后，便会请来弹花郎弹棉花。当然，并不仅仅是为了女儿的嫁妆，自己家里要盖的，包括旧棉胎要翻

新,也要请弹花郎弹一弹。

弹棉花,一般选择在堂前间进行,先要将四周用竹垫围起来,防止棉絮四处飘散,再在里面用木板搭一个工作台。弹花郎从屋梁上吊下两条绳子,将弹弓吊装好。这时弹花郎会问:弹几条被?主人说:两条八斤被,一条六斤被,一条十斤被。便按分量将棉花放在工作台上。弹花郎先将棉花大致地扯一扯,均匀地铺开;然后牵过弹弓,拿起榔头,敲打弓弦。颤抖着的弦线沾上棉花,拉伸纤维,棉花渐渐疏松膨胀。随着弓弦不断发出的"嘭嘭"声,一团团分散的棉花逐渐变成了厚薄均匀的棉胎。师徒两人将棉胎的正反两面用纱线纵横布网固定,再用磨盘反复压磨,使之平贴、牢固,一条摸上去暖烘烘的棉被就在弹花郎手上完成了。

弹棉花讲起来简单,做起来挺复杂挺费时的,手艺熟练的两个弹花郎一天也只能弹一两条。而且操作时棉絮飞扬,弹花郎头发上、眉毛上一会儿就全白了,如果吸入呼吸道,很容易引起肺部疾病。

|黎|芗|有|语|

前几年,一部歌颂军民抗日的爱国主义影片《巧奔妙逃》上

线,影片虽是抗日题材却选择了非常另类的表达方式,运用几大笑星黄宏、魏宗万、赵亮等人的精彩演绎,让观众忍俊不禁,所以印象较深。尤其是片中插曲《弹棉花》,在三大笑星夸张的表演和弹花弓独有的声响里悠然响起:"弹棉花啰弹棉花,半斤棉弹成八两八哟,旧棉花弹成了新棉花哟,弹好了棉被那个姑娘要出嫁。哎哟勒哟勒,哎哟勒哟勒,弹好了棉被那个姑娘要出嫁,那个姑娘要出嫁,弹棉花啰弹棉花,半斤棉弹出八两八哟,旧棉花弹成了新棉花哟,弹好了棉被姑娘要出嫁。"旧时,弹一床新棉被,或者翻新一床旧棉被,大概是一年中迎接初冬的最初征兆,也是家里添丁的重要标志。比如嫁女啦,娶媳妇啦,生小孩啦,逢了这样的喜事,就会请上弹花匠,到家"嘣嘣嘣嘣嚓……"地开"音乐会"。只要弹花师傅一到,家里能有的好吃好喝的,都恭敬奉上,希望弹花匠能认真弹出一床好棉被,这棉被里的温度,是大人们的祝福,希望给盖的人,更加长久的温暖。所以,弹花匠挑担入家,随着一声声弦响、一片片花飞,最后把一堆棉花压成一条整整齐齐的被褥,漫天飞雪变成了白云匝地,仿佛就是一种魔术,而这种魔术,对邻居们具有巨大的吸引力:一年中最悠闲的时光,就是哪家在弹棉花,乡亲们就往哪里聚的快乐时光。如今,弹花弓还在城乡的街头小巷里与百姓生活演绎着无尽的缠绵,显示着这一传统工艺顽强的生命力。

铜火熜

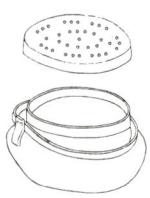

TONGHUOCONG

　　火熜是取暖工具,纯黄铜打造,圆鼓形,由三部分组成:熜体,上鼓下圆中空,可以放炭火;环,安装在熜体鼓起部位的上方,方便手提携带;熜盖,圆盘形,有厚厚的边沿,盖面钻着密密麻麻的圆孔,便于热量传导和空气交换。

　　三四十年前,气候还比较正常。冬天,江南一带气温常在零度以下,下雪结冰是经常性的天气现象,加上空气湿度高,又没有空调、油汀之类的取暖设备,阴冷阴冷的,待在家里不一会儿手脚就冰冷了。这种季节,

年轻人还撑得住,上了年纪的人可就难受了。为了扛过寒冷的冬天,除了天气好时晒晒太阳,躲在火缸边享受点余热,坐在被窝里保暖外,老人们更多的是用火熜烘手暖脚。

火熜的热源来自炭火。卸下火熜盖,在熜体的底部铺一层砻糠,将中午烧饭时留在灶洞里的炭火铲入熜体,盖上盖子,不一会儿,火熜的四周便发热了,尤其是盖子上更热,有点烫手。中饭以后,老头子们捧着火熜,捂在胸口,三五成群地吹牛去了。老婆婆们则将火熜放在地上,双脚搁在熜盖上做起了针线活。雨天,家里有婴儿的,洗了尿布干不了,也会放在火熜上烘。我们小时候喜欢在下雪天穿着布鞋到处疯,弄得一双鞋湿漉漉的。母亲见了,叫我们脱下来,放到火熜上烤,几分钟后,鞋面上便冒出了热气,还带着脚臭味,整个房间都弥漫着怪怪的味道,经久不散。

到了晚上,火熜慢慢变冷了。这时,刚烧完晚饭,正好利用新炭火更换已经燃尽的炭灰,火熜便重新发热。睡觉前我们会将火熜在被窝里捂一会儿,睡进去暖烘烘的。

火熜还是旧时宁波农村举行婚礼时的重要用具。女儿的嫁妆里,火熜是不可少的。出嫁那天,嫁妆担和新娘尚未出门,媒婆便要挈着已经生了火的火熜提前出发,放在夫家的新房内,预示新娘过门后会给夫家带来人丁兴旺、日子红红火火。有的地方舅家人还要在半路上拦住媒婆,从火熜里取火回家,寓意夫家、娘家协同发展,共同兴旺。

|黎|芝|有|语|

　　随着严寒的到来而复苏了的那抹冬日里关于温暖的记忆,就是外婆的铜火熜。儿时的隆冬几乎年年见雪,屋檐上挂满冰条,池塘、小沟里覆满薄冰,特别寒冷,那时家家户户仅有的取暖设备便是火熜。圆鼓鼓的火熜被外婆擦得黄灿灿的,里面盛有炽热发红的木块、竹块、砻糠等燃料,辐射出来的热量让人感到十分温

暖。记忆的陈迹里,火熜除了取暖功能外,也会作为嫁妆陪奁,跟着新娘进入婆家。老底子讲究点的人家一般会用纯铜去打造一个火熜,内燃炭火香料,提前一天要把礼服什么的也熏一下,然后结婚当日带至新房,寓意新娘给夫家带去财运,如火旺发。它也携带着娘家人的温暖,饱含着双亲对出嫁女儿的深情祝福。就算是到了今天,很多家庭嫁女儿,依然要给女儿寻一个精致小巧的铜火熜作陪嫁,以寄托父母对女儿如山似海的爱。火熜的第三个用处就是煨烤美食了,撮出几粒谷子放进火熜里,"叭叭"几下,香酥的米花就吃到嘴里了;想吃炒豆豆,放进几粒,在炭火中滚动几下,豆就香喷喷的,很诱人了;想吃烤红薯,放上一个,一会儿,香甜的味儿便在空气中飘散了。岁末年初,各家各户都做了年糕和糯米粿,于是火熜又成了孩子们煨年糕、煨粿的利器,只要把年糕埋进炭火堆里,用不了多长时间,随着"嗞嗞"的微响,白白的年糕条上起了大泡,啪的一声,大泡破裂,粮食的味道经过炭火的烧烤变得丝丝香浓、阵阵年味,委实妙不可言,连大人们都会赞叹:好香呀!

竹垫

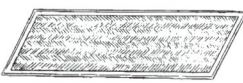

ZHUDIAN

竹垫,也有叫篾垫的,是由竹篾编织而成的垫子,每一张长约两米五,宽约一米八,两端分别由两根竹片把垫子夹起作边,竹片的中间穿过一条绳子,用于竹垫卷起时的加固。

竹垫的主要作用是翻晒谷物的铺垫。过去,农村的晒场没有水泥地,都是夯实后的泥地,在上面不能直接晾晒谷物,必须垫上竹垫后才行。竹垫通透性好,谷物在其上面干燥得快。

夏天的早晨,太阳早早就挂在了半空,晒谷场的妇女们看看露水已干,便搬出竹垫,在泥地上一一摊开,然后挑的挑、抬的抬,把稻谷一箩箩倒入竹垫。一会儿晒场上便布满了一座座小谷山。接着,用谷耙摊谷,把谷子堆从竹垫的中间向四周推开,直到看上去厚薄均匀。这时晒场上

是另一番景象,谷子在阳光照耀下泛着金色,好像在地上铺了一层黄金。附近的鸡、空中的鸟受不了诱惑,纷纷前来偷吃,这可害苦了妇女们,只见她们一边"喔嘘,喔嘘"地发声吓唬,一边挥舞手中的谷耙、扫帚不停地驱赶,但效果并不明显,鸡倒是赶走了,麻雀却调皮,啄几粒飞走了,过一会儿又飞来了,真拿它们没办法,好在吃得不多,只能睁一只眼,闭一只眼了。

中午时分,妇女们又忙开了。晒了半天后,需要把谷翻上一翻,使之受热均衡,水分更快蒸发。这时候烈日当空,晒场上像火烧一样。妇女们头上披一条湿毛巾,再戴上草帽,手不停地在竹垫上来回拖动谷耙,谷粒在起舞,水分在迅速蒸发,可她们却浑身湿透。太阳下山了,竹垫上的谷要收起来,挑回仓库。竹垫也要一块块卷起来,搬到仓库或屋檐下竖放,防止露水打湿。

早稻收割后,一般要晒三天的猛太阳,才能储藏起来。碰到雷雨天或台风天,晒谷场更是忙坏了。小阵雨还好,把竹垫两端一抬,谷粒便拢成了一堆,然后把两端一交叉盖在谷堆上,雨滴落在竹垫上不会马上进入谷堆,可以抵挡一阵;遇上大雨就必须像救火一样,在雨还没落下之前,迅速把所有的谷子从竹垫转移到仓库里。碰到这种天气,平时在家里的老头老太以及小孩子们都会一拥而出,前来帮忙。

竹垫还有一个好处，就是可以移动，面积也不大。有些产量不高而经济价值比较高的小农作物，收获后需要翻晒，就把竹垫放在田边屋后。如黄豆、赤豆、芝麻、蚕豆之类，还有番薯干等，农民一般就用一块竹垫，放在自家门口的空地上晾晒，便于看护。

|黎|艺|有|语|

哗啦啦一声铺天盖地，展开竹垫条格斜密，手编的纹理令人惊奇，烈日下，满地碎花黄金匝地，鸡鸭麻雀也来寻寻觅觅。月亮升起，孩子们在那儿尽情嬉戏。那摊开在竹垫上的庄稼，犹如三千繁花，绽放在农人的手心里。

千工之巧

在白波如沸、禾黍菰芦层层叠叠的季节,夕阳西坠、荡船下水,在弯月如画的秋夜里起网,也是野趣横生、诗意盎然的人生快事。不为所获,只为那一份守候的悠然、闲适、宁静与快乐。

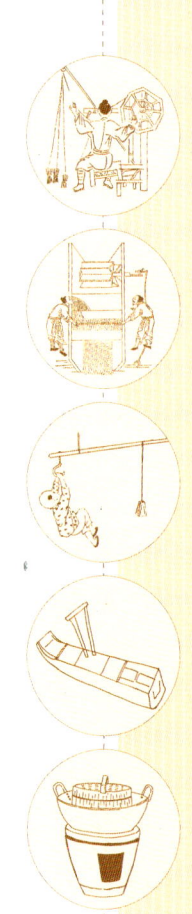

扳罾

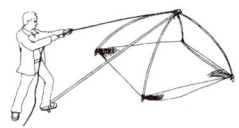

BANZENG

扳罾又叫扳网,是一种捕鱼虾的渔具。扳罾的制作比较简单,用四根竹竿十字形相绑,中间再绑一根撑杆,形成罾架,并在罾架的中间系上一条拉索。四根竹竿的下端绑上一张网,网的中间坠一铁块,扳罾便制作完成了。

捕鱼时,一般在河堤或桥洞下罾,先把撑杆支起,然后手持拉索,缓缓将罾放向水面,网格接触水面后,继续放拉索,在铁块的作用下,网迅速沉向河底,河面只看见弯弯的四根竹竿。

起网时间由下网人自由决定,短的十几分钟,长的在半小时以上,

由于鱼在不停地游动,什么时候游到网上,下网人并不知道,因此能否网到鱼有偶然性。运气好,过几分钟起一次网,网网有鱼;运气不好,则十网九空。起网也有一定技巧,拉索拉得过快,惊动了鱼,鱼会迅速逃离,一般起网都拉得比较慢,悄无声响。待网底露出水面,鱼儿才知道自己被网住了,拼命跳动,但已无济于事。网上来的有鲫鱼、排鱼、鲤鱼、胖头鱼等,个头比较大。小鱼虾一般都从网眼漏了下去。

扳罾捕鱼历史悠久,宋代张耒曾有诗咏之:"孤舟夜行秋水广,秋风满帆不摇桨。荒田寂寂无人声,水边跳鱼翻水响。河边守罾茅作屋,罾头月明人夜宿。船中客觉天未明,谁家鞭牛登陇声。"田园夜色宁静,罾头跳鱼作响,船客尚在迷糊,耕牛已经上轭。全诗情景交融,水乡特有的气息跃然纸上。

现在,扳罾仍在不少地方使用,即使是城市的河道上也不时可以看到一些不守规矩者利用早晚或休息日肩扛扳罾捕鱼。一张扳罾,一只水桶,一支海兜,一把小凳子就是他们的全部家当了。这些人主要集中在大桥边下网,一坐就是几个小时,但看上去收获不多,偶然有一条、两条鱼被网上来。也许只是爱好,尽管所获不多,这些人仍乐此不疲。

|黎|芗|有|语|

清人赵执信有诗云:"白波如沸浸沟塍,禾黍菰芦互作层。棹入青苍前路夕,半规秋月起鱼罾。"在白波如沸、禾黍菰芦层层叠叠的季节,夕阳西坠、荡船下水,在弯月如画的秋夜里起网,也是野趣横生、诗意盎然的人生快事。不为所获,只为那一份守候的悠然、闲适、宁静与快乐。

赶罾

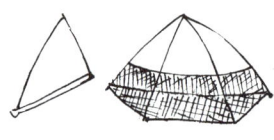

GANZENG

赶罾,一种在小河及沟渠里捕捉泥鳅、小鱼虾的渔网。两根竹竿交叉弯曲作为网架,底部及周围三边围上网帘,一边是个大口子,形如现在旅游用的小帐篷;另外还有一个也是竹子做的三角形的赶竿,赶竿的底边上套着几个小竹筒,作用就是赶鱼。捕鱼前要先观察这段沟渠里有没有泥鳅和鱼。如果沟渠边水草比较丰盛,水体不清不浊,又不是死水一潭,一般来说,会有鱼。选择与赶罾宽度基本相

等的沟渠的一端下网,然后,撸起裤管,手持赶竿走到另一端,跳进水里赶鱼,随着赶竿的移动,水中的鱼,包括上层和下层的,纷纷向赶罾方向逃窜,进入赶罾后,鱼们就出不来了!这时,顺手一提,只见罾底的鱼活蹦乱跳的,大概有十几条鱼,鲫鱼、排鱼、泥鳅、黄鳝、毛竹丁(一种小鱼)等,什么都有。一条两三百米长的土渠道,分十次左右下罾,运气好的话,可以捕到两三斤鱼。

赶罾是在小河沟捕鱼,所以捕到的基本上是小鱼。从现在的眼光看,这是一种不健康的捕鱼方法,破坏了河渠的生态,恶化了水环境。可在温饱尚未解决的年代,农民是没有环保意识的,只要能捕到鱼,可不管是大鱼小鱼还是泥鳅黄鳝,都是好东西。拿回家,挑一些喜欢的,或红烧或清蒸,大人小孩美美地吃一顿。那些不想吃的或过于小的,就喂鸡喂鸭了。

|黎|艺|有|语|

小时候经常看见专事捕捞小鱼小虾的渔具,像个笼子,三面及底下围着网,一面敞开。话说网开一面是放鱼一条生路,此渔具之网开一面,却是请君入瓮、诱鱼深入。配合着使用的还有一

支折成三角形的竹竿叫赶盘或赶子,大小刚如敞开渔网的那一面,捕鱼的手执三角形竹竿将鱼虾往网内赶,叫作赶罾。渔民在捕鱼时,先将赶罾布控在水草的一端,或者里面,用手握罾弓,将罾子压到水底,准备随时起罾收网。赶鱼操作赶盘时,右手握那根小横档,胳膊肘外顶着那个直角的直立着的一根木棒。接着,右手挥舞赶子,那赶子在渔民的驱使下,步步为营,把河道里的鱼虾逼向赶罾子里。鱼虾在水中"上蹿下跳、左冲右突",从远而近,"误入歧途"。谁知"福兮祸所伏",那端在静候它们的则是人类撒下的"天罗地网"。那些鱼一旦进入赶罾后,要想向上跳"龙门",也许只是黄粱美梦。渔者把捕获的鱼虾一一装进挂在胸前的鱼笼里,它们都别想再"死里逃生"。使用赶罾捕鱼,都是单独行动,从不与他人为伍。使用它的人,都是独享其成,没人与其纷争。赶罾捕捉到的鱼类,多为小鱼小虾。水乡的人们几乎都会使用这种渔具捕鱼。捕鱼的人,不为"渔利",只为给家中的老少带来一顿小小的口福而已。

农用船

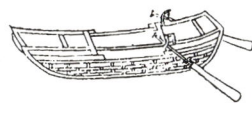

NONGYONGCHUAN

农用船是水网地带的基本运输工具。上世纪六十年代前,农用船基本上由木料打造,七十年代后由于木材紧张,木船减少,新增的船只基本改为水泥钢筋浇铸。

农用船船头船尾为空气舱,向上翘起,中间为货舱。为防雨,有的船还备有竹编的船篷。农用船不是专业运输船,吨位都不大,一般三四吨,大的也不会超过 10 吨;船的称呼也按吨位来叫,这条 3 吨船,那条 5 吨船。船一般不设风帆,靠手摇橹作为动力,也没有专门的船舵,由摇橹时

的技巧调节方向,或用船篙支撑实现调头。船橹木制,有四五米长,分成两部分,上半部分圆柱形,顶端装一铁环,用于套入橹索,与船尾舷旁的铁环相连;下半部分扁平,前端入水划动,上端有三个浅浅的圆洞,与船尾横档上的铁柱子(俗称"船卵子")相匹配。

摇船要有技术和经验。船橹搁入铁柱子后,摇船的要一手握住橹把,一手握紧橹索,双腿叉开站稳,眼观船头,双手一拉一推,船橹来回摆动,带动河水向后流动,船便慢慢地向前。

如果新手摇船,要么船橹没摇几下就滑落下来;要么船头偏向,撞向岸边。所以当时生产队派工,一般都会安排两个人,一个是老手,为主摇船,一个新手跟着学,兼做一些辅助工作。船起航时由老手操作,待行驶至水面较宽阔的河面以后,会让新手锻炼锻炼,把橹交给他,让他实习,逐渐使他心有感觉手有感受,一般带过四五次以后,新手就能掌握摇船的技巧了。

生产队的农用船就停泊在村庄前面的河道里,平时基本不用。只是在交售公粮、购买氨水、进城运装粪便、对外出售农产品等时才使用。无论装船还是卸货,上船时都会在船舷与船埠头之间搁上一块跳板,众人挑着重担、脚踏跳板,小心翼翼走上走下,也是蛮辛苦的。

古代有许多关于船的诗句,但多数是说载人的行舟的。如李白的"两岸猿声啼不住,轻舟已过万重山";张继的"姑苏城外寒山寺,夜半钟声到客船"等等,说的都是客运船。咏农船的很少很少,但我觉得水乡里可以代替脚力的农用船才是最实用的运输工具。

> |黎|芗|有|语|
>
> 橹在船尾来回轻摇,船在水上破浪前进,人在船舷点水穿行……喜欢"醉后不知天在水,满船清梦压星河"的凄清,喜欢"春潮带雨晚来急,野渡无人舟自横"的孤寂,喜欢"误入藕花深处,惊起一滩鸥鹭"的婉约,更喜欢"乘风破浪会有时,直挂云帆济沧海"的豪放,还有诗人白桦梦里的那艘绝不沉沦、在浪尖上飞旋的灵魂幸福、勇敢前进的航船。而李白的"人生在世不称意,明朝散发弄扁舟"的那一叶小舟,在我看来还是农用船最得体。人生失意的时候,还不如多参加些生产劳动,以宽慰心灵,抹平创伤。

鸭船

YACHUAN

鸭船,是在河、湖里放牧群鸭的微型船只。木质,长约2米,宽1米多,两头微微上翘,船舱中间有一块横板,可以站人,船上无舵无摇柱,靠一根竹篙,划动水面前进后退转弯掉头。船体由桐油漆成棕红色,以防止长期浸在水里导致腐烂。由于实在太小,船上不能放置重物,最多放上一桶秕谷,用于鸭群不听话时的诱导。

放鸭人跳上鸭船时必须小心翼翼,两只脚要迅速稳稳地站在横板

的中间,并以手中的竹篙作为平衡器,像走钢丝一样。即便如此,人跳上后,船也要晃上几晃。如果新手上船,由于掌握不了身体的重心,十有八九会发生船体侧翻,人掉进河里,鸭船来个底朝天。

鸭船一般跟在鸭群的后面,鸭子游得快,鸭船也要划得快。划船难度很大,一会儿要将竹篙深入河底撑一把,一会儿要像孙悟空舞弄金箍棒一样,人坐在横档上,将竹篙横过来,一左一右以篙作桨划水,鸭船便快速前进了。

鸭是喜水的动物,在河面上非常活跃,有的屁股朝天一头钻进水下寻找小鱼小虾;有的立起身子,扇动两只翅膀,享受片刻的惬意;有的则相互追逐,尽情嬉闹。看看放的时间差不多了,放鸭人用竹篙敲打水面,溅起一竿水花,告诉鸭子们要上岸了。鸭子也有灵性,见此便在头鸭的带领下,爬上岸来,留下满河的鸭毛和鸭臭。待鸭子全部上了岸,放鸭人也将篙子一撑,靠岸离船,追赶鸭群去了。

> 黎芗有语
>
> 平野无山见尽天,九分芦苇一分烟。悠悠绿水分枝港,撑出南邻放鸭船!一叶小舟,青竹点开,波光潋滟,满河花散。
>
> 等到像花儿一样散开的鸭群聚拢过来、上得岸去,唱着嘎嘎

嘎嘎的大合唱一路蹒跚地朝鸭舍进去，放鸭人便撑着鸭船、挥着竹竿也上岸了。一河的涟漪与花漾便也渐渐平复成了镜子模样。小时候觉得，那些执竿撑船的放鸭人，在汪洋一片的水面上倏忽东西，悠然南北，来去自由，很有"青箬笠、绿蓑衣，斜风细雨不须归"的世外高人隐居水乡泽国的范儿。后来我看见了放鸭人沧桑的面孔以及眼睛里的落寞，才知道，撑船放鸭，远离家人，长期在水上漂着，辛苦自不待言，那份孤独和寂寞也恐怕只有鸭群和放鸭人知道了。

石灰池

SHIHUICHI

石灰的主要成分是氧化钙，在自然界以石灰石的形态存在。石灰石经高温煅烧，变成了生石灰。生石灰要化成熟石灰，才能作为建筑材料使用。

在很早很早之前，祖先们就开始煅烧石灰，直到上世纪末，农村仍然分布着许多石灰窑。无论谁造房子，都要到窑里购买生石灰，或用船或用手拉车，或用肩挑运回家，倒入石灰池进行熟化。建石灰池比较简单，一般在村庄附近选择一块废弃的土地，面积大约三四平方米，挖一个

正方形或长方形的坑,仔细一点的,在坑里与四周铺上一层草包或破麻袋,把生石灰倒入,加水熟化。

熟化时,石灰释放出大量的热量,体积迅速膨胀,不断地冒出水泡和水汽,这时如果往里面放进一只鸡蛋,很快就煮熟了。如果人掉进去,皮肤肯定被灼伤,留下严重的后遗症。为了防止石灰僵化,熟化过程中要一边加水,一边用铁耙不停地翻搅,直到全部融开。经沉淀以后,石灰池的上层是稍稍泛着青色的氢氧化钙溶液,具有很强的碱性,可用来消毒杀菌,人的皮肤沾上后有灼烧感,必须马上清洗。下层就是熟石灰了,洁白细腻滑润。但刚刚熟化的石灰比较生涩,里面可能还有尚未溶化的生石灰,还要经过十天半个月的后熟才能使用。

我们那里农民造房子,石灰主要用于内外墙的加固和粉饰,也有用于砌墙垒砖时的黏合。用于墙体上,一般有两道工序。第一道叫"麻筋石灰",直接糊在墙砖上,主要目的是加固防潮防渗漏。所谓"麻筋石灰",就是将破麻袋或旧麻绳切碎,搓糅成麻绒,与熟石灰均匀地搅拌在一起,石灰的韧性大大增加,糊在墙上就不容易脱落了。第二道叫"刷白"。在"麻筋石灰"的上面再刷上一层薄薄的石灰浆,主要是增加亮度和美观度。石灰干了以后成了碳酸钙,变硬变白。白色的墙,黑色的瓦,叫粉墙黛瓦,构筑成小巧玲珑的房子,配以碧水环绕,杨柳依依的周边环境,烟雨朦胧的江南水乡,美不胜收,让人心醉。

|黎|芗|有|语|

关于石灰和石灰池,明代有于谦的《石灰吟》:"千锤万凿出

深山,烈火焚烧若等闲。粉身碎骨浑不怕,要留清白在人间。"这首诗鼓励了很多后来人。清末有林则徐的虎门销烟,震惊世界。据史料记载,石灰与石灰池还是林则徐虎门销烟的功臣。如何销毁鸦片在当时就是个技术难题。最简单是用火烧,弊病是烧不完的鸦片渣会渗进泥土,烟膏油常常浸入沙土,若被挖出,仍能炼出膏油,那些"瘾君子"见到渣子都会两眼放光,难保他们不会挖地三尺,把这些渣渣再给刨出来,火烧难以彻底"除根"。林则徐在虎门采用的是用水泡,即事先在海边凿一大池子,投以石灰,使鸦片得以完全溶入池子的海水里,然后趁退潮时往大海里冲,一冲了之,一了百了。你再有瘾,就到海里去吸吧!伴随着石灰的沸沸扬扬,虎门销烟持续了四十多天。在南中国蓝色的天空下,两万余箱鸦片化为乌有,围观的人们心在激动地跳动,他们有理由相信,过了今夜就不会再有噩梦惊扰,天下苍生就能平安无事。

氨水池

ANSHUICHI

氨水的化学名叫氢氧化铵,是一种液态氮肥。当时化肥品种少,氨水便成了抢手货。但也不是随便可以买到,须由供销社下达计划指标,每个生产队每年只能分到四五吨,用船从城里运回。

氨水在常温下很容易挥发成氨气,氨气有刺激性,人吸入后引起咳嗽流鼻涕,如果进入眼睛会泪流满面,十分难受。高浓度的氨水洒到植物上,植物的茎叶马上就枯黄了。鉴于氨水的这些特点,装运氨水时,要覆盖好尼龙膜,贮存器必须密不通风。

那时也没有"铁乌龟"之类的容器,生产队土法上马,用坟石板砌成一个方方正正的石池子,石板与石板的连接处用水泥嵌缝,顶上留一个方洞,便于氨水倒入,并以石板作盖,盖的四周再用青紫泥密封。正面接近底部的位置再安装一只阀门,提取时,在阀门的下方放好粪桶,打开阀门,氨水流出,每一桶装上2斤左右,挑到河沟边加满水稀释勾兑了,再挑到稻田泼洒施肥。过了一两天,原先泛黄的秧苗便变得浓绿起来,原来是水稻的根系吸收了铵离子,得到了营养,就好像人吃了补药一样,身体强壮了。施用氨水必须有防护措施。要头戴草帽,脖子上围一条湿毛巾或湿布,捂住口鼻。施到田里的氨水浓度不能过高,否则很容易灼伤叶子。一般在施用前会有植保员指导。

氨水池旁还搭建有石台阶,可以通到池顶,方便将氨水从船上挑运至池顶的入口。台阶也给小孩在池旁玩耍提供了便利,好多时候,三五个小孩或在池周围捉迷藏,或在池顶划棋盘,走五子棋、西瓜棋、屙缸棋。天热时,附近的农家还会在池顶晒黄豆、芝麻、菜干,因为氨水池砌得高,光照充足,东西干得快。

现在,化肥的种类实在太多,再也不生产施肥用的氨水了。氨水池也时过境迁,大多数被拆迁,池址或成了道路或盖了房子。少数的也成了断墙残壁,那种刺鼻而又熟悉的味道早已飘散在历史的天空中了。

黎芗有语

小时候去农村做客,发现使用氨水很普遍,但它有一个致命的缺点,就是容易挥发,不易运输和保存,刺鼻的气味熏得人直流眼泪。罐车将氨水运到公社以后,用皮管灌进用水泥修好的氨水池里,再分配给每个大队。每次运来一批氨水,公社广播站的喇叭都要播送一遍,哪个大队分到多少斤。听到广播里的通知以后,社员们把酒坛装到木架子上,挑着浩浩荡荡,鱼贯而来,到公社的氨水池边分装氨水。灌满氨水以后,酒坛的口子用塑料布包好,用绳子扎紧,然后糊上烂泥,以防挥发,跟装老酒相似。然后,再挑着装满了氨水的酒坛子,浩浩荡荡,鱼贯而返。那阵势,远望犹如一群迎亲的队伍,场面壮观、蔚然,绝对引人驻足。

抽水机和机埠

CHOUSHUIJI & JIBU

上世纪五十年代以后,畜力和人力水车逐渐淘汰,农田灌溉代之以马达为动力的抽水机。农民们在河边修建了机埠,修筑了通往农田的渠道,灌溉效率大大提高,劳动强度大大减轻。老式抽水机又称离心泵,两头有两根粗粗的铁管子。一头伸入河中,为进水管;一头搁在渠道的端口,为出水口;中间部分像蜗牛的背,圆形隆起,里面是叶轮,叶轮安装在转轴上,转轴外面连着一个转盘,用于套装皮带连接马达的转子。离心泵抽水机在工作前要先从出水口倒灌水进去,以压缩泵内的空气。马达接通电源后,高速运转,带动抽水机转盘,叶轮也高速旋转,原来灌入的水体同样旋转起来,叶轮的中心部位便形成了真空区域。在气压差的作用下,河

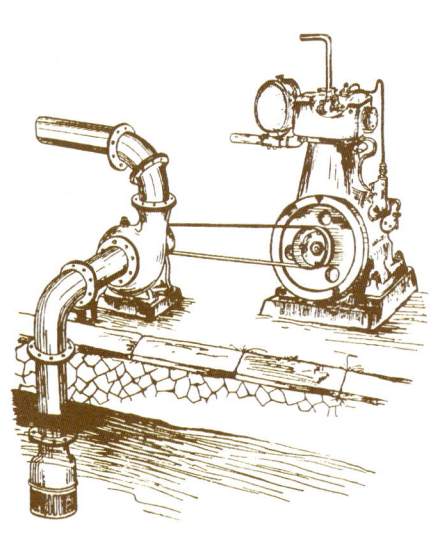

里的水被吸进水管,从出水口哗哗地流了出来。

当时每个生产队都有一个专业的放水员,机埠的钥匙就在他手上。稻田需要灌溉时,他便扛着一只料勺走到机埠前,舀起渠道里的积水往出水口灌,然后再去启动马达,不一会儿,巨大的水柱便喷涌而出。然后,他扛起一把铁耙,沿着渠道巡查去了,看到哪里有缺口,就用铁耙搬块泥给堵上,让水流到达需要灌溉的田块。

机埠旁、渠道里也是小孩们最喜欢玩的地方。我们生产队联结机埠的渠道是用石板砌成的,离出水口二十米的位置还有一个大池子。夏天,抽水机一开,池子里马上涨满了水,我们赤裸上身,只穿一条小裤衩跳进池子,不停地玩耍嬉闹,一会儿打水仗,一会儿潜入池底摸鱼虾,如果真的摸到一只两只小虾,便一口吞进嘴巴里生吃了。当时河里鱼多,不时会有大鱼被卷入叶轮,被打掉了头和尾巴,从出水口冲出,进入池子,成了我们争抢的好东西。如果运气好抢到半条鱼,晚上就有好菜吃了。我们家旁的机埠历经几十年,至今仍在使用,但那池子里却再也见不到小孩子的身影了。

黎芗有语

在水乡,抽水机无疑是灌溉系统中的重要环节。水乡的抽水机分为两种,一种是陆基抽水机,另一种是船载抽水机,村民们叫作打水机船,船体由木头换成了水泥。它们都可以移动。在小孩眼里,能一个人将一台大蜗牛似的复杂系统安装并启动,是集力量与技巧于一身的高人。我表舅是负责抽水机的,孩子们都对他佩服得无以复加,我也跟着沾光。当水管往外喷水时,往往是看热闹的小孩们最兴奋的时候。他们会轮流抱住水管的出水口,任由巨大的水柱在自己身上冲刷;他们会躺在水沟里,随着从河里抽上来的水在水沟里漂流……有时候,表舅也会出其不意地将手中的机油抹到小孩们的脸上,吓得小孩们四处乱窜。没有躲掉的,脸上沾着机油,一脸窘相;成功躲掉了的,得意扬扬,冲着表舅扮鬼脸,然后是再次追赶。所以,小孩们观看抽水机时的心情是忐忑的,既好奇并想参与其中,又担心受到作弄。然而,正是这种忐忑与刺激,让小孩们对抽水机情有独钟。如果是遇到出水口搁在水渠机埠里的,孩子们就会纵身跃入石渠里,兜水冲浪、戏水摸鱼、大呼小叫,犹如过节一般快乐。如今,表舅已老,表舅执掌的抽水机喷涌出来的水花伴随着"哒哒哒哒"的马达声,经常在我的梦里盛大绽放。

风车

FENGCHE

风车，我们那儿叫风箱，专门用于谷物收获后去秕去杂，是我见过的手工制作的最精致、最复杂的农用器具。它由风箱、摇手、车斗、漏粮斗、出风口等部件组成，四根壮实的木柱为腿，显得四平八稳，中间有六根横档，把风箱和车斗等主要部件搁住，右边是一个直径约60厘米的圆形风箱。风箱里装有六个风叶的叶轮。叶轮安装在风箱和连接两头的中心轴中，中心轴中间伸出一个摇手。摇手一摇，中心轴带动叶轮旋转，叶轮一转，就像电风扇一样扇出风来。随着摇手速度加快，叶轮转速也加快，风也迅猛起来，出风口那端便狂风大作了。

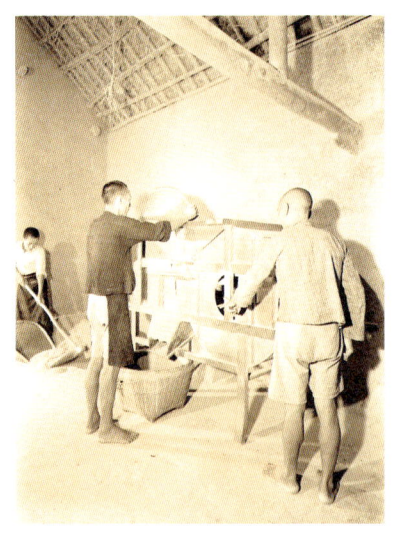

偏向出风口的顶端,搁着一个上大下小喇叭状的车斗,容积很大,一次能容纳一百斤左右的谷物。车斗底部有出口,由一块能够活动的底板托住,底板恰如车斗的开关,用一根横档通出车架外,套上一根用木片做的搁条,用这根搁条控制启闭开合车斗活动底板。车架子左侧竖柱上装有锯齿状的搁档,如把搁条拉到最上档,车斗底板就紧紧闭合,车斗内的谷物无法漏下;如果把搁条下放,车斗底板便向下倾斜开口,谷物从开口处往下滚落。此时,在风力的作用下,谷物朝两个方向分道扬镳:饱满壮实的,漏到下面箩筐里;秕瘪轻飘的,则从罩着竹笼子的出风口吹出,这就是风车去秕去杂的过程。

我老家所在的农村,家里是不配置风车的,只有生产队和轧米厂有。生产队的风车主要用于早、晚稻收获翻晒后,去除稻谷中的秕谷、稗谷及草屑杂物,剩下饱满干净的谷子,进仓储藏,或交公粮,或分配给社员作口粮。轧米厂的风车主要用于分离米粒和谷糠。经过碾米机碾滚以后,尽管谷壳与米粒已经分开,但从龙头机下来时,米与糠是混在一起的,需要经过风车扬吹后,才能使米与糠彻底分离。我们小时候在米厂轧米,最爱干的就是摇风车,见到米、糠混合物从车斗下来经过风一吹,出来的是晶莹剔透的大米,心里就兴奋得不得了,忍不住会用一只手去捏上一把,体会那暖烘烘、痒酥酥的特别感觉。

现在农村已经很难见到风车了,大多数是坏的坏,烧的烧,少量的成了收藏品,进了博物馆。最近有幸去杭州梦想小镇考察,在一家网络公司的走廊里看到了一架原汁原味的老风车,顿时感到很亲切,泛起乡愁。估计这家公司的老板出身农村,陈列一架老风车,大概是为了体现公司继承与创新的理念吧。

|黎 乡 有 语|

　　风车在阳光深处转动,强劲的风,吹起稻谷的重量,却充满了由衷的幸福。这是一个快乐的日子,所有的人都在风中欢笑。风车发出热烈的共鸣,内里回旋着,就像花朵在春天开放,秋天的收获就在脚下,季节的沉重挡也挡不住满心的喜悦。为了抽风,请来一季稻谷,封闭环境,相对稳定,曲里拐弯处,前山后坡两个孔,一顺顺朝前,抽风,是为了出气。去稗去杂间,留下乡愁一地。当年主要用于脱粒带壳小农作物的重要农具,如今即便是依然完好,也只能静静地蹲守在旧墙边的哪个角落里,等待着时光的销蚀,或是后人的追问了!

干工之巧

晒谷场

SHAIGUCHANG

  晒谷场是承载丰收的地方。一担担、一车车,从土地上走来,带着泥土的芬芳,汇集在这洒满阳光的地方。展展卷卷的竹垫,沙沙拉拉的谷耙,是农妇一天的辛劳;满场的金黄,小山一样的收获,是农夫心中的骄傲。烈日下,晒谷场蒸腾水分,让谷粒更加饱满壮实;雷雨天,晒谷场上分不清雨水还是汗水,一斗一筐要进仓,敢与老天来赛跑。

  晒谷场是孩子们的天堂:"老鹰拖小鸡""抲兵抲强盗",踢皮球、捉迷藏。还有那高高的谷堆旁,眼望穿过白莲花般云朵的月亮,妈妈的故事像淙淙的溪水,流进心窝,印在童年的底板上。高高的竹竿竖起来,白

白的银幕挂起来,露天电影来了,晒谷场又变成了艺术殿堂。

晒谷场是分享成果的地方。重重叠叠的竹箩,箩里是满满的番薯、芋艿、西瓜、麦子、稻谷;热热闹闹的人群,熙熙攘攘翘首以待。"张三一百斤,李四一百二十斤",随着过秤人、记账人的呼喊,喜悦在每个人的心中流淌。

晒谷场是吵架的地方。开会是喧闹,评底分是争闹,分东西是吵闹,兄弟反目是打闹。

在集体化的农村生活过的人,对于晒谷场带给他的喜怒哀乐一定会有刻骨铭心的记忆,晒谷场一定会在他的心里有非常重要的地位。晒谷场的故事真是说不尽道不完啊!

| 黎 | 芗 | 有 | 语 |

故乡的晒场,是儿时小伙伴们嬉戏玩闹的记忆,是邻里乡间互帮秋收的记忆,更是乡村集体生活的记忆。那一块块晒场,就像一块块版图,金黄的稻谷、火红的凤仙、酱紫的茄子、翠绿的豆

角、墨黑的菜籽、银闪闪的小鱼干……五彩缤纷的颜色,串起了一年四季;各种色块镶嵌在一起,勾勒出了人们付出的辛劳、丰收的喜悦,以及生活的富足。一到秋收,晒谷场便开始忙活起来,大人们把收下的稻谷倾倒在晒场里晒太阳,如同一地细碎的金子。有风的情况下,村民还使用簸箕将谷粒高高地扬起,让风吹除瘪谷和杂草。为使粮食晒得均匀,每隔一段时间就要用耙子翻动一下。天气晴朗时,仿佛能看见谷粒在阳光下静静地呼吸,享受太阳的温暖。农闲时节,晒谷场成了孩子们的游乐场,高大的席草垛和柔软的新稻草是捉迷藏和摔跤的好场地。夜晚的晒谷场别有一番景致,那时村里时常会请人放映露天电影。在宽阔的场地上拉上一块幕布,摆上投影机,调试好胶片后,影片就开始了。村里的男女老少都从自家搬来各式板凳,聚集在晒场中央。卖瓜子、甘蔗、炒豆子的小摊贩们也在场边一字排开。那时放的什么电影已记不清了,只记得一群小孩在场内外到处乱窜,只记得炒瓜子和炒豆子是世界上最香、最好吃的东西。如今晒谷场和露天电影已经从我们的生活中彻底消失了,只成为一种历史符号,永久地留在记忆深处。

营养钵

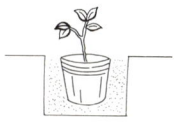

YINGYANGBO

营养钵，一种由制钵器制作、在营养土内育苗的农业栽培模式。用制钵器，将营养土制作成直径六厘米左右、高九厘米左右的圆柱状钵体，排放成垄，钵土顶端凹槽处放上种子，盖上细土，用来育苗。

营养钵兴起于上世纪六十年代，盛行于七八十年代，单门独户的小型生产，至今沿用。而成规模的生产，已被塑料钵或机械制作所替代。制钵器简而言之是一个圆筒模具，上端用一个活动圆铁片，可将营养土

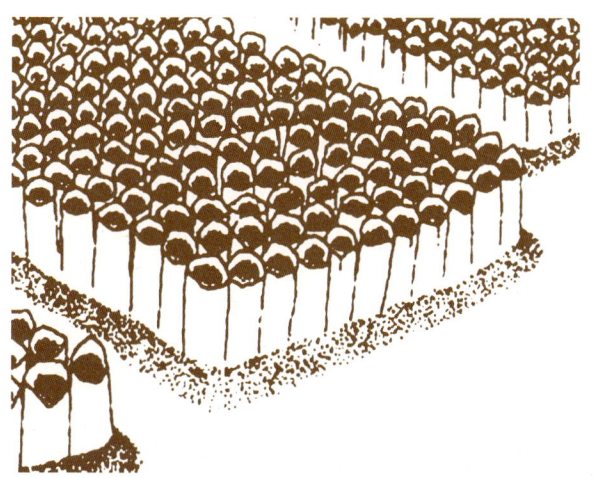

压实、推出。说明起来有点啰嗦：用适当厚度的铁板制成内径如上述钵状尺寸的圆筒，上面以两支钢筋一端折直角，端点焊接圆筒盖，圆筒盖与筒壁固定，再用一片直径与圆筒内径相吻合的圆铁片，一面圆心有中指大小、一厘米左右高的凸点，另一面圆心带柄，柄端与一横向推杆固定，推杆两头各有一个孔，套在钢筋上，使其只能上下活动，钢筋上端固定在横向的手柄上。总高七十余厘米。

当时农业生产按计划进行，冬季种的油菜籽地，春季要套种棉花，而此时油菜生长十分旺盛，无法套种进去，于是以营养钵备苗，等到菜籽收割后再移植棉花。做营养钵前，要先准备好营养土。营养土由细泥、畜粪、过磷酸钙等按一定比例搅拌而成，土层厚度在十五厘米以上。接着开始制钵，先用小磨石将器械圆筒内外壁磨了又磨，以防止泥土粘附。做好所有准备后，将器械用力插入营养土，然后用一只脚压推杆，将土压实，再用力将钵推出，堆放在旁边的空地上。做营养钵很累人，一天下来，腰酸背痛。

看看现代自动营养钵机组，由粉料机、拌料机、喂料机、空压机、打孔机、挤出机、成型机等组成，也够复杂的。

营养钵一般放在露地。在早春，往往需要覆盖塑料薄膜保温。而早期的塑料薄膜厚，而且价格贵，因此普及率低。不像现在，厚薄规格多，价格便宜，政府对农户安装大棚实施补贴，于是大棚普及开来。大棚内套小棚，小棚内又用地膜，多重保暖保障，育苗也方便多了。

|黎|芗|有|语|

做棉花钵，点棉花籽，一幕幕都是儿时情景……营养钵就是棉花钵，棉花钵也叫营养钵。一般是用来育苗的，等到天气好了，

气温地温都稳定了,然后进行移栽。阳春三月,天气一片大好。慈溪一带是有名的产棉大区,各乡各镇也开始了一年的春耕。宽阔的农田里一派生机勃勃的景象,大家伙儿也都热火朝天地农忙着:做棉花钵,点棉花籽……今天再回想给棉花育苗的营养钵,就如同母亲制成特殊的小温床、给孩子用奶瓶喂奶,满满的都是对土地的深情、对丰收的期盼。日子一年一年过去,我们一年一年老去,不变的还是家乡农人一年四季忙碌着:种棉花,种油菜,种水稻,种各种农作物,按季套种,按序轮作,日复一日,年复一年。

喷雾器

PENWUQI

防治农作物病虫害使用的喷雾器,尽管不是传统农具,但至今也有六七十年的历史了。

喷雾器由塑料或玻璃钢制作,扁圆桶形,桶内壁有一管子,管子内有活塞装置,用来压缩空气。管子里连接活塞的有一根铜制的伸向外面的拉杆,一上一下拉动拉杆,活塞上下运动,把桶内的空气排出,内外产生气压差,桶内的液体便通过左边的一根喷嘴杆喷出来。喷嘴圆形,上面盖有一元硬币大小的压片,压片上有小孔,可旋转调节,需要雾状还是水滴状,用手一转就成了。喷雾器容量大概20升。

防治病虫害是技术活,一般社员是干不了的,要在植保员指导下进行。操作人员也要具备一定的农药知识,如喷洒剧毒农药时怎样注意自我防护,什么病虫用什么农药,剂量多少,什么时候喷洒效果最好等,都要有所了解。我虽然后来学的是农业专业,许多关于农药的知识,却是在做农民时就了解了。如敌百虫是除地老虎的;敌敌畏是杀苍蝇、蚊子的;乐果治蚜虫的效果最好;"1605"是治水稻螟虫的,但有剧毒;治水稻白叶枯病要用"多菌灵",因为它的病源是细菌。还有多尔波液是治瓜类霜霉病的等等。施药前,植保员会告诉实际操作者,在喷雾器里加什么农药,量是多少,加多少水,要不要穿雨衣、戴口罩等。做好所有准备后,背上喷雾器,走进田间,开始作业。一手不停地上下拉拉杆,另一只手则持喷嘴杆。霎时田里雾气弥漫,农药均匀地喷洒在叶面上,害虫的末日来临了。

使用喷雾器除虫,最怕的是农药中毒。像当时使用的"1605"农药属有机磷杀虫剂、高毒、高残留、高污染,人吸入或经皮肤吸收后,会造成神经生理功能紊乱,表现为头痛、头昏、恶心、呕吐、腹痛、腹泻等,严重的还会出现肺水肿、脑水肿、昏迷,甚至呼吸麻痹等症状。操作者施用时必须十分注意自我保护,必须戴防护眼罩,穿防护服,戴橡皮手套,喷洒时要注意风向,不要逆风喷。喷洒完成后,还要全身彻底清洗、防止遗留在皮肤上。

黎芗有语

手杆一拉,喷雾一洒,害虫全杀。六月时节,拉杆式喷雾器曾经是农人的神话。它是利用空吸作用将药水或其他液体变成雾状,均匀地喷射到植物上的农用器具。在农村,喷雾器自然就是防治病虫害不可缺少的重要农具。随着农业科技的发展和进步,喷雾器也以最早的手摇式到拉杆式,再到机动式,又到电动式。新一代的电动喷雾器,集便捷、节能、环保于一身,背在身后,电门一按,巨大的扇面药雾喷向目标,恰如观音洒水,天女散花,艰辛的劳作也变得令人愉悦起来。

瓜舍

GUASHE

今天说的瓜舍,不是西瓜、脆瓜之类过了上市季节后的遗留,而是为了防止兽类及小偷糟蹋、偷窃,搭在瓜田里的棚舍。

每年六七月份,是西瓜成熟、陆续采摘的季节,瓜田里爬满了青绿条纹的大西瓜,不仅人见人爱,就是鸟兽也会偷偷过来把西瓜啃出一只大洞,尝尝鲜。为了保护自己辛勤劳动的成果,种瓜的便要守护在瓜田里,随时提防、驱离这些入侵者,晚上值勤的哨所便是瓜舍。

瓜舍从严格意义上说算不得传统农具,但也是属于农民生产活动中管理类的用品。搭瓜舍的木头都是原先用过的,木头上几乎都有榫卯,搬到田里像搭积木一样,榫卯一连接,瓜舍的架子就有了,架子的顶覆盖上草扇或竹席,一间可以遮挡风雨、可以睡觉的小茅舍就建成了。夏天的晚上,睡在里面,耳边是"啧啧啧,嚓嚓嚓"的虫鸣声,透过舍顶的缝隙,只见满天星斗、银河迢迢。微风吹过,凉爽舒适,比睡在家里的床上还要惬意。

半夜时分,看瓜人迷迷糊糊、睡意正浓,偷瓜贼出动了。他们轻脚轻手地走到田边,先观察看瓜人的动静,聪明的会先"投石问路""打草惊蛇",扔一粒小土块到瓜舍旁边,见没反应或听见鼾声,胆子就大了,弯腰猫进田里,顺藤摸瓜,挑大的瓜摘上几个,装进麻袋,背着就走。碰到看瓜人警觉,听到一点声音就出来察看,偷瓜贼会匍匐在瓜田沟里,大气不出,躲上一会儿。看看那人走远了,便一溜烟地跑了。其实,看瓜人并不是真的要抓贼,无非是吓唬吓唬赶跑了事;真的抓住了,也不好处理。偷瓜的一般都是本村的小年轻,嘴馋又觉得刺激。抓住了他们,一来乡里乡亲的,面子上不好看;二来也无法处罚偷瓜的,如若真的抓了,也会心生怨恨,结下梁子。所以搭瓜舍也好,日夜看护也好,只不过是名义上的防范,起到一个震慑作用罢了。

|黎|芗|有|语|

简陋的瓜舍大都采用吊脚楼的形式,在当年城市孩子的眼睛里,只看见小屋凌空、四面透风,不亚于七个小矮人的度假天堂。却全然没想到蚊叮虫咬、夜梦被扰的艰辛。

小时候,农村的民风是极其淳朴的。村里人虽不富有,却皆以偷窃为耻。设若偷拿了别人的东西,物主即便不知,家人却是不依的。火性小的至少给几记臀踹,火性大的却会将自家孩童吊起,抽上二三十鞭子。虽不至于鞭头见红,瘦臀上鼓起若干指头粗的肿痕却是免不掉的。然而孩童偷瓜却是例外。偷,仅限于瓜,只要不是故意糟践瓜田,种瓜人亦是默许的,顶多就是虚张声势赶跑驱散而已。儿时偷瓜是一种大人们罕有的所能允许的多动的宣泄。偷瓜之先要会背秘诀,据说在心底默念秘诀不容易被捉到。不会背诵的孩童是不允许去偷的,只能眼巴巴地看着别人去。当时已经罢休的偷瓜师傅们传下的秘诀是:"下定决心去偷瓜,不怕牺牲往里爬,排除万难拣个大,争取胜利抱回家。"当然,偷来的瓜是不能抱回家的,只能在田野里或小河边与伙伴们共享,然后,装作啥事也没有发生过的样子,施施然回家去。

黑光灯

HEIGUANGDENG

　　黑光灯是一种特制的气体放电灯,它能发出人类不敏感的紫外光波,这种光波对趋光性昆虫具有很强的吸引力,就像狗见了肉骨头一样。人们利用这种原理,将黑光灯安装在农田里诱杀害虫,以达到保护农作物的目的。

　　据资料显示,一盏 20W 的黑光灯可管理 50 亩农作物,一夜诱杀的害虫数量可达 4—5 公斤,杀虫效率十分惊人。而且使用方便,物理杀虫没有污染,还可节约大量农药。

　　我见过的黑光灯都比较简单,一般都依托田头的电线杆子,在杆子上装一只灯罩玻璃,灯罩上面设一个铁皮做的像斗笠一样的盖子,以防止雨水进入。灯罩里就是一盏黑光灯了。灯罩下面放一只陶缸,陶缸里盛满了水,水面上浮了一层油。晚上,田野里漆黑一片,

> **小知识**
>
> **治虫新工具——黑光灯**
>（宁波市黑白铁制品厂革委会）
>
> 目前,我区推广一种新的防治农业病虫害的新工具——黑光灯,对农作物害虫具有很大的诱捕能力。据各地调查证明,黑光灯能诱捕七百余种昆虫,主要为农作物害虫,诱虫数量大。黑光灯面积广,引诱力大。
>
> 黑光灯对昆虫为什么有这么大的引诱力呢?这是由于多数昆虫喜欢不见的短光波——紫外光线。黑光灯是大量幅射波为三六〇〇埃紫外线的萤光灯,正好为多数昆虫所喜爱的短光波。利用昆虫的这种特性,就是把农业害虫诱集起来加以消灭。

只有黑光灯发出蓝蓝的光,幽幽柔柔,正是这种光刺激了昆虫的眼神经,让它们兴奋起来,纷纷从四面八方飞过来,一头撞在灯罩的玻璃上,昏头昏脑落到下面的陶缸里,翅膀马上被水面上的油滴黏住,再也飞不起来了,扑哧扑哧挣扎几下,便断了气。就这样层层叠叠,前赴后继,都壮烈牺牲在陶缸里。第二天到现场观看,真是不得了,陶缸里密密麻麻都是昆虫的尸体,最多的是螟虫、蝼蛄、蝴蝶、金龟子等鳞翅目和鞘翅目昆虫,都是为害水稻、棉花、蔬菜等作物的害虫。

借鉴于农田诱杀昆虫的经验,人们举一反三,将黑光灯应用到鱼塘里,草船借箭,免费搞饵料。具体做法是:在鱼塘的中间安装一盏黑光灯,不用灯罩,靠灯管发出的电波诱杀昆虫,昆虫飞近灯管时被电流击中,掉落水中,成为鱼儿的美食。这种方法,不仅可以少喂鱼饵,降低生产成本,而且从昆虫身上获取了大量的蛋白饲料,鱼儿吃了后长得壮、长得快,味道也更鲜美了。

黎芗有语

诱捕昆虫是黑光灯的杰出贡献。但是近些年学界提出的黑光灯或是白内障年轻化的"祸首"正在被越来越多的人所接受。形形色色的"光污染",不仅影响眼睛健康,甚至可能带来白血病和癌症。专家介绍,歌舞厅的黑光灯、旋转活动灯、荧光灯以及闪烁的彩色光源构成了彩光污染,可危害人体健康。黑光灯发出的紫外线强度大大高于阳光,人体如长期受到这种黑光灯照射,有可能诱发白内障、鼻出血甚至导致白血病和癌症;旋转活动灯、彩色光源以及霓虹灯的闪烁灯光除有损人的视觉功能外,还可扰乱人体的内部平衡,引起脑晕目眩及乏力失眠等光害综合征。

种田绳和埭头棒

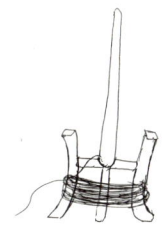

ZHONGTIANSHENG & DAITOUBANG

种过田的人都知道,插种水稻时,每个人都是面朝土地背朝天,插一行脚往后移一下,自己眼睛只能看到前面已插种的秧苗,看不到后面白洋洋的空地,这样插种时很容易走偏方向,不仅秧苗插得弯弯曲曲,行不像行、埭不像埭,而且还会给其他人插种造成困难。所以插秧要有准绳,这准绳就是种田绳。种田绳细细的,几毫米粗细,麻制或尼龙制,缠在摇绷上。摇绷酷似古代兵器——画戟,旁边有两条两头外翘的木档,上下两条横档。两条横档的中心有一圆孔,中间插入一根可以转动的木

棒,木棒上圆下尖,可以插入土里。插秧前,把"画戟"的木棒插入田边,一人往前拉,直到田的另一边。那么每埭田的宽度是多少呢?就要用到"埭头棒"了。"埭头棒"其实是一根竹棒,是按照农技人员要求制作的。当时毛主席制定了农业"八字宪法",叫"土肥水种密保管工",密植是其中重要的内容。"埭头棒"的作用就是规定株距,所谓株距就是平行的六株稻之间的距离。种田绳在插入田塍之前,要先由"埭头棒"丈量,按"埭头棒"的尺寸规定两条种田绳之间的距离。

　　插好种田绳以后便可以下田插秧了。插秧时,一边要靠着种田绳,避免插得弯弯绕绕。年轻人特别是姑娘们这时便大显身手,手像麻雀啄谷,快闪快闪的,很快有几个人一溜烟地插到前面去了,那些笨手笨脚的男人却一直留在后头。不一会儿,原来混浊的水田上出现了满目的绿色,歪歪斜斜的秧苗尽管扎根还不牢靠,但其生命的本色却已经倔强地显示出来了。

|黎|芗|有|语|

　　种田绳是经,埭头棒是纬,弯腰弓背的插秧人,在经天纬地里手起秧落,给春天的田野绣上一片横平竖直的青葱和翠绿。"手

把青秧插满田,低头便见水中天,心地清净方为道,退步原来是向前"。听我母亲讲,由于成分和由此引来的家庭问题,她曾经在农村下放劳动好几年。那时仅仅为了争气,她什么苦都能吃、什么活都肯干,跟在农人后面起早贪黑地劳作,却从没叫过一声苦和累。由于用心干活、会动脑筋,她竟然掌握了种田插秧的独门绝技。她说每天天不亮出门,只要两脚插进水田里,人霎时就像打了强心针一样来了精神。于是,她左手拿把秧苗,右手飞快地在秧苗和水田之间蜻蜓点水、小鸟出窝一般往来翻飞。到最后,即使不用种田绳和埭头棒,她都能把秧苗插得横平竖直、又快又好,连土生土长的插秧高手都对她刮目相看。我曾经多次表达过对母亲的敬佩之情,她却总是淡然一笑说:"插秧好比是给大地绣花,心里美着,就能产生干活的力气。心要细、眼要快、手要准,横要平、竖要直,还有就是多练,才可熟能生巧、手起秧到,落指无悔。"

杆秤

GANCHENG

秤，衡量物体轻重的器具。"秤"字禾木旁，其本意是"五谷"的重量，转义为测量物体质量的衡器。经过几千年的演化，秤家族种类繁多，杆秤是其中历史最悠久、使用最广泛的。它由秤杆、秤砣、秤盘（秤钩）、提纽等组成。秤杆木比较坚硬，不会开裂，头稍粗，尾收细，头尾两端包有铜套。秤杆的上端一般钻有三个孔，第一孔安装秤盘或秤钩；第二、第三个孔安装两个提纽，我们称之为外纽、里纽。外纽靠近秤盘，称分量重

的东西,里纽离外纽一寸左右,称分量轻的东西。相应的,秤杆上的星点也有两排,一排计量单位大,一排计量单位小。简易的小秤则只有一个提纽,星点也只有一套,可称物体的重量较轻。

秤杆上的第一个星点,叫准星,也叫定盘星,比其他星点要大一些,一杆秤准不准,定盘星的设置很重要,称东西前,先把秤砣滑到定盘星上,如果杆子两端平衡,不上翘也不下坠,说明这杆秤没问题。准星以下便是密密麻麻的星点了,准确到什么计量单位,要看称什么物品,称金银和贵重药材的戥子,一个星点代表一钱;称一般物品的基本上一个星点代表一两,到半斤时,星点延长,到一斤时,星点标出一个"1"字,依次类推直到杆尾。秤砣由生铁铸成,砣上有一孔,可以穿过一条细绳,细绳连接秤砣挂在秤杆上。秤砣其实就是砝码,称东西时秤砣的绳滑到某一星点,两边刚好平衡,这东西就是多少重量了。做买卖称分量时,买进的希望秤尾翘得高一点,说明分量足;卖出的则要压一压,把秤杆端平了。有些不良商贩为了多赚钱,经常会在秤上做文章,比如把秤盘加厚或故意放些泥土、黏上一些杂物,称重时买家实际得到的就少了。甚至个别的,把秤杆里面打通,灌进水银,秤杆一抬,水银流向前端,秤起来一斤可能只有七八两了。

我们年轻时候,杆秤还是普遍使用的。生产队有大秤,主要是称谷物,最大可以称到两百斤;小店里有盘秤,卖盐卖糖,只要把秤盘插进盐瓮或糖缸,按照买主要求的分量,稍作增减,提起提纽,秤砣一滑,纸袋一包就成交了。家里用的秤大概最多能称三十斤。邻居之间借米借豆,称一下心中有数。借走了也不会主动去要,人家还回来了还要客气几句。

秤发展到现在,杆秤除了在大药房里继续使用迷你型的外,已基本淘汰,方便实用的电子秤已经普遍使用。重量的单位也从十六两一斤,变成十两一斤,再从市斤变成公斤,从两变成了克。杆秤已经变成了美好的回忆和淡淡的乡愁。

黎芝有语

喜欢《宰相刘罗锅》里的那首《清官谣》：天地之间有杆秤，那秤砣是老百姓，秤杆子挑江山，你就是定盘的星，什么是黑什么是明，什么是奸什么是忠，嬉笑怒骂怒不平，背弯人不躬……什么是傻什么是清，什么是理什么是情，留下多少好故事讲给后人听……

秤是称重量的。在外婆家，民间有立夏称人的传统习俗。看过丰子恺先生的一幅画，名曰"却喜今年重几斤"，画的就是立夏称人的场景。画中，一杆硕大的秤，小朋友端坐在称盘里，看看一年下来，长了几斤，大了多少。"立夏称人轻重数，秤悬梁上笑喧闺"。据说立夏称人之后，夏天就不会怕热，不会减重消瘦，也不会疰夏，就可以顺利度过炎炎夏日了。从前，体重增加了叫发福，体重减轻了叫消肉。立夏称人，在生产力低下、生活方式原始的情况下，寄托的是人们平安度夏的美好心愿。外婆家的四乡八村没有可以容纳孩子落座上面的大盘秤，所以我们都是排着队，按次序等着大人们为孩子称重量的。轮到时，只消双手紧紧抓住荡在头顶上的那个杆秤的大铁钩子就行了。两个大人见孩子已经抓稳了铁钩，便会用杠棍把杆秤连同挂在杆秤上的孩子一起抬将起来；那挂着的孩子缩起两脚、离开地面，便吊在了半空；掐秤花的把秤砣一拨拉，分量就出来了。为了不被大人笑话"瘦猴"，证明自己确实是长大了不少，称人时，舍不得吃掉的那个茶叶蛋是一定要偷偷放在裤袋子里增加重量的。排队等候期间，看手巧的阿婆为年轻女子穿耳朵眼的场景，那也是蛮刺激、蛮心惊肉跳的。

升子

SHENGZI

升子,一种称量粮食的工具,由木片制作,形状不一,有立方体的、有圆柱体的。过去我们家里的一只升子是圆鼓形的,中间和靠近底部围有两圈铁箍,上口的一块木片已经破裂,出现了一个小小的缺口,但不影响使用。

我国古代计量容量的单位叫"石斗升合",相互之间的关系是:一石等于十斗,一斗等于十升,一升等于十合。以大米为例折算成重量,按现在的公斤计算,一合为0.15公斤,一升为1.5公斤,一斗为15公斤,一石为150公斤。但由于古代没有十分精确的称量工具,"石斗升合"折算成重量有很大的出入,而且被计量的物体比重不同,重量也不同,因此,我们只能将"石斗升合"所计量的物体重量作为概数,不能斤斤计较了。

我们家的升子基本上都放在米缸里,因此也叫米升。记得

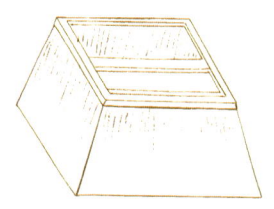

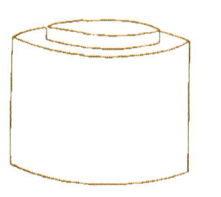

对这个米升量出的米,我们用杆秤称过,平平一升刚好一公斤,我母亲每次烧饭都会用米升量米,具体的数量根据吃饭的人数和中饭、晚饭来确定。我们家平时吃饭的人有六个,一般中饭都是生米直接烧的燥米饭,所以中午要量一升至两升米;晚饭则会将中午没吃完的冷饭燠入生米中烧,量一升半就可以了。当然母亲量米时会做一些调节,如米升装得浅点、满点,基本原则是大家都能吃饱,而且还能剩下一些冷饭,用作第二天早上煮泡饭。

在那个温饱还没有解决的年代,升子还是亲戚邻居间借粮借米的工具。晚上揭不开锅了,做母亲的会厚着脸皮,拿着一只布袋、一只升子去邻居家借米,当时邻里和睦,一家有难大家都会帮衬。邻居家还有吃的就会借给你,而且让你用自己的升子到他家的米缸里去装,一般也就借五升十升的。度过青黄不接后,米要还回去。这时作为借方会把米升装得满满的,借来时五升,还的时候可能就是五升半六升了,这叫知恩图报,感谢邻居们的借米之恩。

还有一些地方借用升子的谐音"生子",在别家媳妇怀孕时,用升子装着花生、鸡蛋之类去探望;孕妇接过后,抱于怀中,期盼早生贵子。

黎艿有语

在科学技术不够发达、标准度量衡不够大众化的时代,民间普遍以"升、斗"等容量单位来测量粮食的分量,米升因此应运而生,遍布于寻常百姓家中。就是这样一个不起眼的物件,在以农业立国的中国,却是中国农耕文化一个不容忽视的符号。每个米升,背后都有一个家庭,它反映了这个家庭里面的一些期待,比如对小孩子的一种教育的方法,和他家里面的一些理想。如果把千家万户用过的米升摆在一起的话,你就会发现,这个小小的米升,承载着整个中国农业社会里面几乎所有的信息,包括军事、经济、政治,小到柴米油盐和相夫教子。随着生产力的发展,米升在二十世纪七十年代以后,就逐步淡出了人们的视野。作为度量工具,米升承载着公平诚信和知恩图报的传统美德。这些中华民族数千年文明所传承下来的公正精神,正是我们现代社会所需要的,在我看来,米升所承载的传统正能量永远不会过时。

算盘

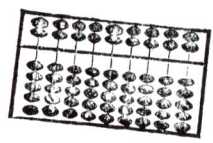

SUANPAN

算盘，一种计算工具，由中国人发明，已有上千年历史，即使在计算机已经普及的今天，许多地方仍在使用。

算盘呈长方形，四周以木条为边，内置直柱，称为"档"。一般有九档至十五档。档中置一横梁，梁上放两珠，每珠作数五，梁下放五珠，每珠作数一，可以做加减乘除等算术。除了木制外，算盘还有铜做的、铜镶边的等，既实用又美观。

我们读小学时，珠算课是必修课，学生要自带算盘，老师则在黑板

上挂一面教具大算盘，大算盘的每一个档上都黏有棕榈丝，防止珠子上拨时下滑。正式上课前，老师会要求我们先练指法"打百珠"，即从一累加到一百，一边打一边背加法珠算口诀："一上一，一下五去四，一去九进一；二上二，二下五去三，二去八进一；三上三，三下五去二，三去七进一；四上四，四下五去一，四去六进一；五上五，五下五进一；六上六，六下五进一，六上一去五进一；七上七，七去三进一，七上二去五进一；八上八，八去二进一，八上三去五进一；九上九，九去一进一，九上四去五进一。"

谁能既快又准地加到一百，得出"5050"，谁就先举手，就能得到老师的表扬。因为大家都知道"打百珠"的答案，一些取巧的同学会先装模作样地打一会儿，然后便直接在算盘上打出"5050"这个数，以此来获得老师的赞赏。在算盘上做加减法和乘法比较容易，但做除法就比较难了，尽管背熟了口诀，但往往要出错，只有将珠算与心算结合起来，才能熟练运用。

一个村庄里，算盘用得最多的是生产大队和生产队会计，平时生产队的收支情况，每个社员的工分一笔笔都要记在账册上，算盘要每天拨拉几下。到了年终决算的时候，至少在一周时间里会计会手不离算盘，因为涉及每个社员的切身利益，不能有丝毫差错，所以要一遍一遍地算，待结果公布出来后，每个家庭自己也会用算盘再核对一遍，全年工分多少，每工工值几角几分，一年总收入多少？扣除平时生产队分配的稻谷、蔬菜瓜果、猪肉牛肉等实物支出，最后还可分到多少现金？如果核对数与会计算的不一样，就会马上向会计反映；如果会计不肯采纳，那肯定要大吵一场。

上世纪七十年代以前的中国，算盘的普及率实在太高，不仅每个单位有几把算盘，几乎家家户户也都备有算盘。为了提高珠算能力，学校里设有珠算特色班，有关部门会举办珠算培训班，还会经常举行珠算比赛。那时珠算方面高人辈出，如果某人能在一个地区的比赛中脱颖而出，获得前三名，那是一种莫大的荣光。

"算盘"两字在汉语中也是被经常用到，不过变成了引申意。如引申为"计划、打算"时，一般会说："我心里有一个算盘，可以这么办……""你们想算计我，真是打错了算盘。"又如认为此人精于算计，只进不出，会说他是"铁算盘"。

可惜的是，现在小学里再也不设珠算课了，懂珠算的人越来越少了，要找一把算盘也已经很难很难。

黎芗有语

在宁波地区，比喻一个人很会自我打算、算计，就会说：算盘打得啪啪响。比喻一个人特别精明，会说这个人是三十六档铁算盘。

晾杆

LANGGAN

晾杆，一根长长竹竿，用来晾晒衣服。晾杆对家庭来说是不可或缺的，几乎每天都要用上。平时晾杆就横挂在屋檐下，日头好的时候，晾杆便移位到露天，两根有丫杈的竹竿斜靠在墙上作支撑，或者在空地放上两只竹做的三脚架，上面横放一根晾杆，就可以晒衣物了。江南梅雨季节结束后，家家户户都要将受潮的衣物"晾霉"，照照太阳，防止霉变，就连压在箱子底的结婚时穿的花衣服都亮了相。这时，晾衣架上花花绿绿、重重叠叠，煞是好看。过年之前，"掸尘"搞大扫除是农村的一个好习惯，除了清理垃圾，清扫积尘以外，洗床单、洗被子是家庭主妇的另一

项重要任务。在河水里洗完,两个人分别捏住床单或被夹里一头,像卷麻花一样拧干水分,整整齐齐地晾在晾杆上,让太阳暴晒,晚上睡在干干净净、带着阳光味道的被子里,浑身舒泰。

晾杆的作用不仅仅是晾晒衣物,产生于晾杆的美食更加令人难忘。春天,油菜抽薹,菜蕻吃也吃不完,从自家的地里一箩一箩地打来,大镬里烧开了水,将菜蕻往里一浸杀青,一淘箩一淘箩地拿到屋檐下,站在长凳上一条条挂在晾杆上,晾晒成菜蕻干。菜蕻干有一个好听的名字,叫"万年青",是烤肉做汤的好食材,平时放在锡瓶里防潮,要做汤时,撮出一把放入铅碗,加盐、加味精,用开水一泡,再滴上几滴麻油,一碗清香扑鼻的万年青汤冒着热气端了上来,让人食欲大开。过年前,晾在晾杆上的还有腊肉、鳗鱼、风鸡等,这些食物一般都是加点酒蒸着吃,风味独特,而且可以长久保存,是农民家里的"长下饭"。

黎芗有语

晾杆除了晾晒花花绿绿的衣裳、被子以外,给人印象最为深刻的就是晾菜蕻干。那绿色的菜蕻在晾杆上一排排晾晒,犹如漫天飞舞的绿色经幡,在春天的微风里跟暖阳对话。

"菜薹者,春菜心也",菜蕻则是吴语中的称谓,宁绍地区有闻。应钟的《甬言稽诂·释草木》注道:"外地称菜茎直立开花者为菜薹,甬谓之菜蕻。"菜蕻干是老宁波家家户户的必备良品,冲汤、凉拌皆可。下面时撒一撮,煮汤年糕时放一点,春节时倦怠了大鱼大肉,来一碗菜蕻干泡饭,挟几只黄泥螺、一块红膏炝蟹,便是武松打虎一般的爽快与威风。炎炎夏日,茶饭不思,一盅菜蕻干玉蜓汤鲜香爽口,焦躁难耐的心情也随之云淡风轻。菜蕻干就是这般带着太阳与春风的清香体贴入微,从不虚张声势。你烈火烹油,她安于一隅,默默关注;你失意消沉,她悄然前来,润物无声。菜蕻干是选用2—3月份的冬油菜,取其顶尖最嫩的3—4节作为原料,放入沸水中煮泡2—3分钟,再晾干。讲究的地方在于太阳晒太多会枯黄,晒太少又干不了。这个时候,晾杆和白篮竹编就会派上用场了。

泥马

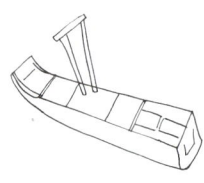

NIMA

"泥马"是指船状的海涂之橇,沿海一带渔民在海涂上采蛏、挖蛤、捡吐铁、捕弹胡等,从事捕捞作业时的一种行进工具。

泥马历史悠久,不同时期、不同地方名称各异:橇、泥橇、泥鳗、海马、舟票、土板、脚踏片儿、弹胡贴……镇海北部一带称"泥艋船"。其长五尺,宽一尺,船头微翘,四面有勒板,船尾勒板稍低,上面装置一个把柄。使用时双手握柄,把握滑行方向,左腿跪在船尾,船头翘起,右脚向后一蹬,船即向前滑行好几米,速度快如马,被誉为"海涂轻骑"。《史

记·夏本纪》中云:"陆行乘车,水行乘船,泥行乘橇,山行乘檋(jú)。"并注:橇,形如船而短小,两头微起,人曲一脚,泥上擿(tī)进,用拾泥上之物。疑即橇之俗名也。然而,其运用得看海涂泥沙成分。如果是沙滩,显然用不上。原姚北海涂含沙多,泥土成分少,属沙质土,较硬,泥泞度低,便于行走,用不上"泥马"。或者说,"泥马"在这种涂地很难行进。在陷没腿肚的泥泞海涂上,泥马则能大显身手了。据说戚继光平倭寇就曾用过这种船。

|黎|芗|有|语|

如果,戚继光平倭寇曾用过这种船的传说是真的,也算是民间智慧于军事,物尽其用;高手在民间的说法,确是古已有之了。试想,一人一骑,浩浩荡荡;旌旗招展,杀声震天;千军万马,如履平地。这阵势,绝对威风八面、声播十里。

梯子

TIZI

梯子,爬高攀登的工具,造房子、筑屋漏、搭草垛都离不开它。梯子由木头或竹子制作,两根等长的木头或竹竿为梯杆,梯杆里侧每隔四十厘米左右凿有榫孔,榫入横档,作为踏脚。梯子有长有短,一般在两米半到三米,如果使用时还不够长,可以把两把梯子首尾相绑,爬上两层楼的屋顶绰绰有余了。

我对梯子印象最深的有两件事:一件是小时候掏麻雀窝。我们家住的是老房子,屋顶盖的是瓦片,瓦片下是竹垫与椽子,里面既暖和又能遮风挡雨。春天,麻雀要下蛋繁殖了,就在屋檐的椽子与竹垫间衔草做窝,尽管做得比较隐蔽,但也有一些草梗露在外面,加上麻雀经常飞进飞出,很快就被我们发现了。当时也没有保护鸟类的意识,心里总是痒痒

的,好想爬上去摸几只鸟蛋或抓几只小麻雀玩玩。于是找来小伙伴、搬来梯子,瞅准位置搁在屋檐上,小心翼翼地一格一格往上爬。见此,麻雀妈妈飞走了,停在屋脊上惊恐万分地叫,希望我们不要伤害它的子女。可我们哪管它的愤怒和悲伤,伸手就往鸟窝里掏,掏到的是 4 颗还热乎乎的鸟蛋。拿走鸟蛋,把它的窝也一并扯了下来,来了个连窝端。然后顺梯而下,捏着鸟蛋兀自开心得不得了。

还有一件是筑漏。老房子年久失修,瓦片碎了或被大风吹乱了,竹垫破了,瓦楞里积满了树叶、灰尘等,都会引起房屋漏水。一到雨天,往往是外面下大雨,屋里下小雨,以至于房间内放满了接水的坛坛罐罐。所以,天气一晴就要爬到屋顶去筑漏。背来梯子爬上屋檐,在下面人的指点下,手脚并用,爬到漏水点,掀起瓦片,查看漏水的原因。是瓦片碎的,要下面递上备用的,补齐了;是竹垫破的,也要下面找一块好的,找不到的就用尼龙布之类的代替补上;如果是上面杂物积得太多,导致流水不畅的,就要用扫帚沿着瓦片缝往下扫,加以清除。等到将全部漏水处补完后,再返回屋檐,手扶梯子回到地面。

爬梯子有一定的危险性。搁梯子时两只梯脚要放平放实,不能打滑;梯子梢的支撑物要结实,不能摇晃,更不能坍塌;有恐高症的最好不要爬。反正安全第一,不能出事。

> **黎芗有语**
>
> 中国古代就有了梯子,只是我不知道是先有民用之梯、后成为战争神器,还是先有军事之器、后广泛应用于民。在《墨子》里曾经读到过这样的记载:"公输盘为楚造云梯之械,成,将以攻宋。"这足以说明,早在春秋时期,梯子的制造技术已经很成熟了。现代的梯子是攀缘登高工具的一种,更多的是民用,也作消防和抢险等用途。至于梁实秋的原配夫人程季淑在1974年的春天,被一架忽然倒下的梯子意外击伤、不幸离世的小概率事件,使得梯子成了索命的凶器,让人不由得唏嘘不已。以至于上街路遇梯子靠墙时,也会因梯起骇,避之唯恐不及。

土纺车

TUFANGCHE

土纺车，有别于现代机械大纺车，是农妇为织布而纺线用的土摇车。土纺车靠手摇木架轮子、用弦线传动锭子纺纱。本地摇车底座略高，离地面十来厘米，底档短，安装锭子处是一个大木块，下部与底档固定，上部斜向地面置两眼凿穿，用稻草或箬壳扭成两个结实的麻花状，形如红丝带，散开端分别穿过两眼，用竹片或木片塞实固定，"麻花"眼穿锭子，有一定缓冲作用。锭子是一枚粗而长的铁针，上半部穿一个小竹管固定，位于两"麻花"眼之间，用作绕弦线，转动。这样，纺纱时，人可以坐在普通的座椅上操作。

整个摇车近似一个直角梯形,主体似乎是竹竿架轮子,其制作也简便。两个直柱以横档固定,一个十棱柱木轴两端做成圆柱,便于转动,长的一端连接摇手把,棱柱木轴外端各错开对面凿穿,插入长竹片,竹片外端绕上绳子作轮子,一根底档分别连接横档和大木块;再用一条结实的长弦线作传动带,手一摇动,带动锭子转动。其中弦线打结有讲究,一定要用"扁结",结拉紧、形要小,以免转动到"结头"处卡住而打滑,不能用"丫杈结"。

纺纱时,在锭子上裹上箬壳,纱绕在箬壳上,纺大后成纺锤形,脱下,称"芋浆"。妇人们右手摇手柄,锭子急速转动,"吱呀吱呀"作响,左手拇指压住夹在其与食指中指间的棉絮条,边捻动、退吐棉絮条,手慢慢上扬,一根细匀的棉纱在锭子尖端不断地延伸,倒车,左手提起,划出一道优美的弧线,将纱均匀地压在锭子的"芋浆"上,使之逐渐变大。棉絮条,是去棉籽的皮棉经过梳棉机加工成梳絮棉(棉胎)后,先分出一片片长方形的较薄的棉胎,再用一截小竹竿放在上面,用手一搓即成一条。

在"男耕女织"自给自足的年代,纺纱织布是农妇必备的手艺和技能。灯盏、摇车陪伴着农妇们度过一个个夜晚,三三两两地累积,再织成土布,做成衣服、床上四件套、帐子,让一代又一代人度过四季。南宋诗人艾可叔《木棉》诗云:"车转轻雷秋纺雪,弓弯半月夜弹云。衣裘卒岁吟翁暖,机杼终年织妇勤。"

纺织,春秋战国就有,据仰韶文化遗址考古发现,时人已会纺纱麻、织麻布、做衣服。三北慈溪有"唐涂宋地"之称,盐和棉花"两白"经济,曾是历史上辉煌的经济支柱。先民很早就垦涂种植木棉,纺织曾是谋生手段之一。直到上世纪90年代,土纺土织才逐渐退出。

黎芗有语

最早看见土纺车,是在外婆带我去乡下走亲戚时邻居奶奶家。奶奶坐在巨大的苦楝树下,正摇动纺车纺花,她将手里的棉条在旋转的锭子尖上一点,随着胳膊的扬起,细细的白线均匀地拉长,一扬一收,那白线便听话地缠绕到飞速旋转的锭子上,姿态极其优雅。伴着纺车轮的"嗡嗡"声,锭子上穗子的腰身变得越来越粗大。入夜,隔壁家的奶奶点着煤油灯也是不停地纺啊纺,常常是那"嗡嗡"的纺花声伴我入眠,一觉醒来,天籁无声,月光湛湛,仍能听到奶奶在煤油灯下"嗡嗡嗡"的纺车声。后来,我在孙犁的小说里,见识了荷花淀边月光下织苇席的女人,以及那种诗化了、美化了的劳动场面。这情景,就是我童年的记忆。记忆里看奶奶纺花,看到的是韵律,是优雅,是流动的音符。我感动于有些乡间老人至今依然还在坚守,因为在这份执着的坚守里,有历史,有亲情,有记忆,还有乡愁的滋味。

火铳

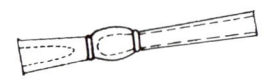

HUOCHONG

火铳,金属射击火器,具备火炮的雏形,是古代打仗的武器。近代以后,各种新式武器大量涌现,火铳这种原始火器逐渐被放弃,但并未消失,而是被改作他用。我们这一带,农民将其作为驱赶鸟雀的工具,在喜庆活动时兼作礼炮。

火铳由生铁铸造,管状,长约120厘米,铳管的中后端有一球形隆起,用来放置火药,又叫药室。药室壁有一小孔,叫火门,供安放导火线。使用火铳时要先从铳管口灌装火药,边装边用一根铁丝往里捅,直到塞满药室,并在火门插入导火线。至此,发射前的准备就绪,就等点火了。

江南的七月、十一月,早稻和晚稻基本成熟,但还未到收割的时候。田野里稻浪滚滚,到处飘着谷香,吸引了大批麻雀前来觅食。眼见得到手的粮食被偷吃,农民们心疼了。可麻雀是在天上飞的,抓也抓不了,稻草人之类的也吓唬不了它们。于是只能请出火铳,以武力威胁。只见几个人走到田头,一人手持铳柄,铳口斜对天空,一人用香烟火点燃导火线,几秒钟后,铳口吐出火焰,只听"嘣"的一声,平地起惊雷,吓得钻在稻穗里啄谷的麻雀四处逃散,飞得无影无踪。这样一天放上两三次,麻雀再也不敢来了,驱赶的效果十分明显。

我还见过婚礼上使用火铳的。当时烟花爆竹很难买到,只好以放铳替代礼炮。迎亲的队伍走到门口,闹婚礼的孩子们会拦在门口,不让新郎进门接新娘。在这个档口,有人将早已填充了火药的火铳拿了出来,在门口空旷地上朝着天空点火放铳,瞬间,震耳欲聋的铳声响起,几支铳连放数下,声波远扬,几里地外都能听到,婚礼的喜庆与热闹到达了一个小高潮。

放火铳有一定的危险性,点火发射时会产生很强的后坐力,持铳人必须拿稳了。铳口绝对不能对准人、动物及其他物体,必须朝天放,还要避开高压线之类的空中设施,尤其是火星不能溅落在草堆上。现在火铳已经见不到了,烂的烂、毁的毁。其实我觉得,这种危险的工具早就应该淘汰了。

黎芗有语

据考证,火铳是元代和明代前期对金属材质管形射击火器的通称,有时也称火筒。明朝神机营,是世界上第一支装配火器的军团。1449年10月的京师保卫战,神机营将民居作为掩护,用手中的火铳将来犯的蒙古骑兵狙杀,完成了自己保卫都城的使命。这看似简单且其貌不扬的火铳,促进了明军训练和作战方式的改变,创造和发展了火铳同冷兵器相结合的战术。嘉靖以后,明军装备的轻型手铳和重型火铳,逐渐被鸟铳和火炮所取代。但是,流落在民间的火铳一直存在,它从军事用途的大才转型成驱赶麻雀的小用,也有在农村的婚礼上充当喜炮的时候。这,估计也是当初发明火铳的人所不曾想到、不愿看到的吧!

鸡笼

JILONG

　　鸡笼,关养家鸡的笼子,由木头或竹片制作,长方体,像一个柜子,但无脚无底板,中间有一扇门,便于家鸡进出。

　　过去农村几乎家家户户都养鸡,多的二十几只,少的也有十几只。白天鸡都放养在房前屋后,随地觅食。撒落在地的谷物,路边的野果子,鸡爪子扒出来的蚯蚓、昆虫等都是它们的美食。由于养成了习惯,到了傍晚,鸡们不等主人召唤,便纷纷自觉回家。看看养的鸡差不多到齐了,主人会在地上撒一把秕谷或倒一盆吃剩的饭菜,让它们吃上一顿。吃完后,鸡们便乖乖地进笼休息了。天黑了,主人不放心,会手拿煤油灯蹲下身,照照笼里的鸡是否到齐,一只只数过,数量相符便关上笼门闩好。如

果少一只两只的,还要到处去找。没进笼的鸡基本上是贪吃迷了路,或躲在树丛里或走到别人家里去了。那时社会风气好,一般不会发生偷鸡贼偷鸡这种事情。

  鸡的天敌主要是两种动物:一是老鹰。大家都知道"老鹰抓小鸡"的故事。我们小时候,村庄后面的山顶上空经常看到老鹰在展翅翱翔,俯瞰大地,目的是寻找猎物。如果见到地面上有母鸡带着小鸡觅食,会瞅准时机俯冲下来,两只锋利的爪子抓住一只便上了天,不知飞到哪里享受美食去了。鸡群被吓得四处逃散,咯咯叽叽乱叫。二是黄鼠狼。"黄鼠狼给鸡拜年,没安好心"是一句经常使用的歇后语。黄鼠狼的心思就是要吃鸡,它一般白天不活动,晚上偷偷溜进院子里。如果鸡笼门没关或者鸡笼破损有漏洞,偷鸡的机会就来了,瞅准一只鸡,一口咬在脖颈上,拖着就跑。所以,黄鼠狼的另一个称呼叫"拖鸡豹"。黄鼠狼进了鸡笼,鸡们都很惊慌,要么与之搏斗,要么跳跃惊叫,如果主人警觉,便会马上起床冲出来,但一般都已无济于事,黄鼠狼逃走了,鸡也咬死了。主人咒骂几句,把门关严了,第二天再看看鸡笼有无漏洞。有,就找块板钉上,这也叫"贼出关门"。

  家庭养鸡,鸡苗是自己孵化的,开始分不清是母是公,待到两三个月以后,鸡翅膀上长出了硬毛才知道公母。母鸡以后会下蛋,主人喜欢。对公鸡就要采取点措施,一般只留一只,用于留种,其余的都要被阉割。那只没被阉割的成年后,便到处拈花惹草,处处留情,在母鸡体内播下自己的种子;被阉的则逃脱不了被宰杀的命运了。每当凌晨三四点钟,公鸡开始打鸣,提醒人们天要亮了。"雄鸡一唱天下白",辛勤的农人们听到鸡鸣,便准备起床,开始一天的劳作。

黎芝有语

儿时学过辛弃疾的《清平乐·村居》:"茅檐低小,溪上青青草。醉里吴音相媚好,白发谁家翁媪。大儿锄豆溪东,中儿正织鸡笼;最喜小儿无赖,溪头卧剥莲蓬。"在辛弃疾营造的吴侬软语中,编织鸡笼竟也有了令人遐想的诗意空间。

曾经参观过一个现代化的养鸡场,发现集中饲养的鸡笼已经完全不是我们当初独家独户养鸡时的模样。如果打个比喻,当年的鸡住的是草棚,现代化养鸡场里的鸡住的是高楼大厦。跟着鸡场主在鸡们的高楼大厦间穿行、逡巡时,看见不远处有十几只鸡在四处游荡,一个工作人员跟在后面撒米喂食。一定是不安分的"破坏分子""越狱逃跑"了吧,那个工作人员是要用"糖衣炮弹"把它们引回鸡笼吧?心里想着,嘴上就这么问了。工作人员答:"这几只鸡是我们有意放在笼子外面的。如果关在笼子里的那些小家伙看不到几只自由的鸡,会由于精神过度紧张而少生蛋或停止生蛋。如果没有这几个'逃跑分子'在鸡笼外面晃,其他的鸡会最终放弃希望,甚至抑郁而死。"原来如此!养鸡场鸡笼外的那几只自由鸡,是笼子里所有鸡们的希望。希望是生命的动力,是生活的源泉。如果失去希望,就好比鸟儿失去了飞翔的翅膀,羊群远离了茂盛的草场,鸡们永囚在无边的暗夜。所以,一只鸡笼,又怎么能隔断鸡们对自由的向往呢?

兔笼

TULONG

　　兔笼，饲养兔子的笼子。农家用的兔笼与鸡笼的形状相似，也由木档或竹片打造，但有四只脚，底盘离地面有半米左右，便于兔子的粪便通过底盘的缝隙漏到地上，减少对兔毛的污染、防止兔病的发生。笼的中间挂一个斜三角的木（竹）兜，兜里放饲料，兔子隔着木档可以吃到里面的青饲料。

　　普通人家养兔子，规模都不大，一般只养三至四只，养的大多是长毛兔，少数的也有养肉兔和獭兔的。养长毛兔是为了剪毛，兔毛洁白柔软，手感很舒服，是做毛绒制品的好材料。品种好的长毛兔，一年可剪两次毛，产量大概有两三两，卖给供销社可收入四五元钱。那时钱经用，如果养四只长毛兔就有二十元左右，是一笔不少的收入了。

　　兔子吃的是青草、菜叶。所以我们小时候放学后，每天都要去割一篮青草，回到家放一把到兔笼兜里，兔子们看到后，马上就跳过来吃了起来。兔子吃草会发出"森森森"的声音，青草在嘴巴里停留较长时间，细嚼慢咽，很有绅士风度。有时候我们觉得可爱好玩，就拎着兔子的耳朵把它们提出来放在地上，揉揉它们的毛，看着它们笨拙地跳来跳去。事实上，由于长期关养在笼子里，兔子腿的功能已经退化，跳也跳不起来

了,多数时间就伏在地上,蛮可爱的。

兔子唯一的问题是粪便特别多,如果不及时清理,几天下来笼子底下就积满了,而且又湿又臭,放兔子笼的场地臭气熏天,蚊蝇乱飞。

这么可爱的一种动物,用来骂人却变得非常恶心、恶毒。北方人吵架,经常可以听到一句骂人的话:"兔崽子。"称对方为"兔崽子"据说有两层意思:一是说此人胆子小,像兔子一样,见人就跑,没有血性和骨气。另一是说此人是娈童生的儿子。娈童就是被女性狎玩的美男子——男妓,"兔崽子"就是"养汉子后生下的孩子",与"婊子养的"是一个意思,是很脏、很侮辱人的一个词。

黎芗有语

雄兔脚扑朔,雌兔眼迷离。双兔傍地走,何须关进笼?孩子们最喜欢把兔子放出笼子散养,或是成天跟兔子玩。话是这么说,但养兔子怎么能没有笼子呢?而且,兔子虽然好玩,兔子的粪便很臭也是事实。老师告诉我们,兔笼下面有好的垫材是必不可少的,煤球灰、木屑等等都可以用来当作垫材,且要经常打扫。夏天的时候,更要经常更换,还要凉快通风。如果可以用水壶给兔子喝水,保持清洁卫生,经常给兔子洗洗澡,那兔臭便可减轻。老师的话大概是对的,但是七八岁的孩子执行力是非常有限的,总是做了这个、忘了那个。所以,我们总是趴在兔笼前,在喜欢兔子和憎恶臭味之间一次又一次地纠结。

缸灶

GANGZAO

缸灶，一种陶制的可以移动的灶具。我见过的缸灶由陶土烧制，圆鼓形，正面接近底部的位置开有灶门，灶洞上边沿有三个凸起，用来放置铁镬。跑运输的、捕鱼的，经常生活在船上的人，缸灶是生活必需品，烧饭做菜都离不开它。缸灶以木柴为燃料，由于没有烟囱，不能拉风，生火比较困难。每次生火都要用纸、竹枝、刨花等易燃物作引火，然后慢慢往灶

门里添柴禾,引燃柴禾后,还要用火管不断往里吹气送氧。尽管如此,还是浓烟滚滚。好不容易生旺了火,吹气的已经是满眼泪、满头汗了。

一个人摇船、一个人煮饭烧菜,河面水波荡漾、船头饭菜飘香,看上去悠闲安逸,实际上满含生活的艰辛与苦涩。船在行驶过程中,往往会惊动生活在河水上层的鱼,像鲢鱼之类就会跃出水面,个别不小心的就一跳跳到船舱里,给船民带来意外之喜。当时我们在生产队干活,几个人边干边聊天,说到吃什么东西最新鲜,有的说刚从田里割来的青菜,热锅里一炒,吃起来最新鲜;有的说刚宰杀的猪肉,还冒着热气,做红烧肉最新鲜。另一个人说,你们讲的东西都不新鲜,有一次我撑船,刚在缸灶上搁好镬准备烧菜,忽然一条白鲢跳进了镬里,这条鱼是最新鲜的。众人都说他夸张,鱼跳进船舱大家见过,但不可能凑巧跳进镬里的。除了上面说的这种缸灶外,山里人还有自己动手做的,尤其是遇到红白喜事,家里的大灶忙不过来,临时要增加灶头时。选一只直缸,在侧面敲出一扇灶门,缸内四周填上石块黄泥,留出灶膛,顶上做一个镬窝,便可以烧煮食物了。

缸灶还被引用到宁波方言中,"屋里烧缸灶,外头充有佬",说的是家里穷得叮当响,在外面却要装得很有钱;"缸灶连眠床,对落是屙缸",说的是家里穷,住的地方空间十分局促。

黎艿有语

"缸灶生烟家家有,竹筒吹火煮饭香"。我们小时候用煤紧张,每家每户除了煤球炉子以外,还有一个基本的标配,就是缸灶,以备煤球不够用时,可以用柴火接替。我见过的还有一种缸灶是用旧缸做的。缸灶的结构非常简单,在一口小水缸下腹部挖了一个方形的口(也有圆形的口),里面筑好灶芯和铁栅,在缸沿放上锅,往方口里塞上木柴、干稻草、锯木屑,就能烧火了。还有用旧脸盆筑个小缸灶的。老辈人常说用柴火烧饭香,用柴火烧出来的饭味道就是不一样,那漫溢的香气弥漫扑鼻,浓郁淳朴中带来了食欲。但是,缸灶也不常用,用柴火烧饭毕竟灰大、不方便,也有一副穷酸相。宁波人说,"外面戴大帽,屋里烧缸灶",说的是人在外头场面上"戴大帽"(戴着大老板的帽子)充阔佬,夸大口说自己是大老板或富翁,冒充有钱人讲噱头、摆排场、装阔气,家里其实是很穷酸的。宁波方言中的"倒灶",是指"倒霉"的意思,如果家里的灶倒了,烧饭做菜都不行了,还有什么比饭也吃不上了更"倒霉"的呢!逢年过节,就是缸灶大显身手的时候,大锅烧猪头,中锅做炒货,小锅炸春卷,哪一样也离不开简陋的缸灶。因此,缸灶也是年与节的神仙眷侣。

汤锅

TANGGUO

汤锅,圆鼓形,铜或陶制,容量有大有小,烧水的容器。过去农家烧饭都用土灶。根据镬洞的多少,土灶分为两眼灶、三眼灶。两个镬洞之间的空档,再挖一个小洞,用来安装汤锅。与镬一样,汤锅除了口子在灶台外,其余部分都在灶膛里。灶膛生火,主烧的是铁镬,因为要煮饭蒸菜,但汤锅也沾边。一边饭菜熟了,一边汤锅里的水也开了。

汤锅旁放着一只长柄水勺,专门用来从汤锅里舀水。一只镬炒菜要加水了,就从汤锅里舀上一勺,十分方便,而且加的是热水,菜熟得快,味道也好。晚饭后,汤锅水又可用来洗脸洗脚。舀几勺汤锅水倒入面盆,不烫不凉,洗脸刚刚好。洗脸水再用来洗脚,一点都不浪费。这就是当时农家既节俭又生态的日常生活。

小时候食物匮乏,肚子里没有油水,经常有饥饿感。有一次,偷偷拿了一只鸡蛋,放进汤锅里,待母亲煮熟了饭,汤锅里的鸡蛋也熟了。趁人不备,用勺子捞起,放进裤兜,打算过一会儿躲起来悄悄吃了。不曾想等到要吃时,鸡蛋已经被挤得粉粉碎了,也不管蛋壳有没有剥干净,就一把塞进嘴巴里,囫囵吞了下去,连什么味道都还来不及尝出来。

宁波人把做汤圆的水磨糯米粉称为"汤锅粉",其含义大概与贵州、四川等地的火锅粉相同。汤锅粉做成的宁波汤圆,要在水煮沸后放入,待其自然漂浮在水面上,说明已经熟了,可以吃了。

黎芗有语

每每看见"发挥余热"一词,就会想起小时候五外婆家的大灶头。这名副其实的大灶头,左右各安一个尺四镬,中间还有一口小锅,那就是汤锅。汤锅里面加满水,盖上小圆盖,烧饭时候的余热,可以一起热了汤锅里的水。汤锅水可以在煮饭烧菜时添水用,也可以洗漱用。即便是烧完了饭菜退出了火,单是靠灶膛里的那些余烬,也可以给汤锅水保温许久。小时候最喜欢去五外婆家,烧饭时,五外公在灶头后面帮我引着了火,我把稻草塞到炉膛中。他在前面炒菜,火很旺,三两下菜就烧好了,青菜是碧绿生青的。烧饭时米在锅中沸腾,锅盖四周冒出一圈白泡,五外公就关照我:快退火!我就把没有烧完的稻草拉出来用脚踏灭。锅盖一开,香喷喷的气浪便迎面扑来。如果再多凑一把火,就能烧出镬焦,那真叫一个香呀!那时候,汤锅里的水也就咕嘟咕嘟地冒出热气来,它所借的余热真是妙不可言!有时候,五外公会边教我怎么烧火,边唱起来:"镬铲抲来一记甩,一锅清水变镬饭;镬铲抲来一记笃,一锅清水变镬肉;镬铲抲来一记丢,一锅清水变镬酒。"我就真的走过去,搬把小矮凳往上踩,半个身子趴在灶台上,拿起镬铲往汤锅里轻铲,希望从汤锅水里真的能铲出五外公口中唱的镬饭。

烧火棍

SHAOHUOGUN

烧火棍，一根长约一米的竹棒，中间的竹节被打通，生火时用来送气吹旺火苗。

平原稻区，大灶烧饭，燃料基本上是稻草，干燥的稻草用火柴一点，送进灶膛，火很快就旺了。受潮的，生火就很费力了。擦了几根火柴也点不着，好不容易点着了，也是烟比火大，这时烧火棍就要派用场了。将烧火棍的小头伸进灶膛，对准稻草冒烟处，嘴对着棍子的大头往里吹气，火随气旺，呼呼地吹上五六下，烟少了，稻草哔哔啪啪地燃烧起来，再用火桥一撬，在草底拨出一点空间，增加通风，火就旺了。再往里添加稻草，灶膛内便火势熊熊了。这里烧火棍起到了鼓风机的作用，为火势输送氧气助燃。

江南的冬天阴冷阴冷的，站在屋外经常瑟瑟发抖。那个时候最喜欢去的地方就是"灶坑地沿"，讲起来是帮助母亲烧火做饭，实际上是贪图温暖。烧火就免不了要用到烧火棍，看到火要熄灭了，赶快把烧火棍伸进去，憋足气吹，火是吹旺了，但把灶膛里的灰也吹出来了，弄得满头满脸都是草木灰，真正是灰头土脸。有时，忘了把烧火棍及时抽出来，就在里面烧了起来，等到发现，已经有一节烧没了。所以，烧火棍是用不长的。好在是竹棒做的,换一根就是了。

|黎|芗|有|语|

看见《烧火棍》这个题目,第一时间想起的是农家一种用来向灶坑里添柴火的工具,一般是木制的一根棍子,一端带有分叉,大多以核桃树枝作为材料,形状和"丫"字一样,只是身长有一米左右。另外一种是用竹子做的,也是一米左右长,中间是空的,可以用来吹旺灶火。江汉平原一带曾广泛使用,在鄞州西乡地区唤作"火管"。因为中间是空的,可以吹气,遇到灶筒里火势将灭未灭之际,浓烟忽起,只要用火管对着星星之火轻轻一吹,稻草就会重燃,火势就会重旺起来,瞬间成为燎原之势。所以,火管虽然简单,却绝对是大灶烧火的必备神器。

灶台

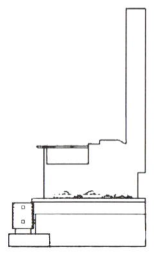

ZAOTAI

　　灶台是烧菜做饭的操作平台。江南农村的灶台由砖石垒砌,呈长方形,站人的位置有向外的弧度;台面由水泥、石灰抹平,上有两至三个镬洞、一至两个汤锅洞,放置铁镬及汤锅。灶沿稍稍高起,好像水沟,外侧有一出水孔,灶台上的水沿着灶沿,流入放在出水口下面的泔水缸里,不至于弄湿地面,并保持了灶台的清洁。

　　灶台的正面是烟道,外侧砌有烟囱直通屋顶,烧饭时烟气在热力作用下,冉冉上升,通过烟囱排向天空,这便是袅袅炊烟了。为了充分利用空间,烟道外面砌成橱柜状,上面可放油盐酱醋等调味品。其最上格还放着一只烛台,对应贴在烟囱上的灶君像,以备祭

祀之需。

从屋梁上吊下一个木架,悬挂在灶台上方,用于摆放镬盖、蒸笼、淘箩、羹架、锅铲等炊具,取用十分方便。民以食为天。灶台在家中的地位十分重要,做母亲的更是一天到晚围着灶台转,香的甜的咸的辣的素的荤的,一碗碗一盆盆,带着家庭特有味道的菜肴从灶台搬到餐桌,让一家人吃得有滋有味。尤其是大镬烧的米饭,粒粒会爬、特别可口,其中生成的锅巴,香酥爽脆,是我们少年时的最爱。

灶台上尽管有两只或三只铁镬,但用得最多的是那只煮饭的镬。为了节省柴禾和菜油,好多下饭菜是与米饭在一只镬里蒸熟的。具体做法是,先将米和水放入,在铁镬上部放一只竹制的羹架,羹架上放四五只碗,里面是鱼、肉、菜、豆及臭冬瓜、苋菜股等腌制品,或直接放入番薯、土豆、毛豆等,盖上高镬盖,烧火蒸煮。随着镬里的温度不断提高,水蒸气上来了,米汤水"潽"了出来,饭熟了,里面蒸的菜也熟了。

灶台上举行的最隆重的仪式莫过于祭灶君了。灶君,我们称之为"灶君菩萨",中国古代神话传说中专司饮食之神,兼任督察人间善恶的司命之神。据说,农历十二月二十四日,是灶君离开人间上天向玉帝禀报其所在家庭过去一年所作所为的日子。为了给他留下好印象,请他在玉帝面前多表扬,十二月二十三日,家家户户都要祭灶。对着灶君像,点上两支蜡烛,供上油果、芝麻酥等祭灶果,一边参拜,一边咒念,请灶君上天时多讲好话,保佑全家太平,没有病痛,风调雨顺,庄稼丰收。

祭灶以后,正式进入过年模式,灶台上比平时更忙了。

|黎|芗|有|语|

灶台的历史有多悠久?中国自古就有,相传是由燧人氏发明。经过历朝历代的改进和完善,我们从记事起就看到的灶台基本就是用砖垒成方体,前边留空作为烟道,后面留口作为添柴用的灶眼。上方留出两个大的圆形,圆形上面各放一口大镬,再加一个汤锅的,就叫大灶了。一口大灶,灶台长方形,灶眼圆筒形,灶膛开大小两个方口,上口进柴,下口出灰;镬里煮饭,镬下添柴。用灶台做饭,要不停地往灶膛里添加柴禾,俗称"烧火"。常言道:"人要实,火要虚。"意思是做人须实诚,烧火时则应把灶膛里的柴禾扒拉开,柴禾之间有了空隙,便"虚"了,火才烧得旺。柴禾燃烧生出的烟从烟囱里排出,烟囱用砖砌成,方形,穿过房顶,把烟雾排到户外。旧时,每到做饭的时候,家家户户都飘起炊烟,成为乡村一景。层层叠叠的村落,氤氲升腾的炊烟,一静,一动,缭绕着人间的悠闲与繁忙。有人说,炊烟是最浓的乡愁,像隐秘的暗语发出的召唤,一声归去来兮,一声"吃饭啦",在时光的流转之间,浸满了俗世烟火的袅袅香气。炊烟升起时,那是有人在等你。"醉里吴音相媚好,白发谁家翁媪?"一觉醒来,梦里花落知多少?炊烟起处,等我的人,早已白发苍苍……

酒埕

JIUCHENG

　　酒埕，陶土烧制的盛酒器皿，口小底小，上端膨出，下端收紧。著名的绍兴黄酒就是用酒埕灌装的，一埕酒的重量大约是三十斤。酒埕装酒的最大好处在于其质地的特殊性和封口工艺的科学性。酒埕由陶土烧制，埕体上有肉眼看不见的微孔，有利于埕内酒体与外界的氧气缓慢交换。酒埕的传统封口是先盖一层箬壳，再糊上掺入了砻糠的泥巴。箬壳和砻糠泥巴都有很好的透气性，酒体虽不直接接触空气，但通过封口的细毛孔仍在不停地进行气体交换，这个过程虽然缓慢，累年积月后，酒的醇度大大提高。一埕三十斤的酒，过了七八年后，可能只有二十六七斤了。

  我老家那边有一位老同志，早年曾在绍兴工作，退休后回归故里，将老宅进行了翻修，建了一个地下室，并从绍兴东风酒厂买了两吨埕头酒放在那儿。有一次我们去看望他，他很自豪地陪我们参观他的酒窖。走进地下室，便闻到了淡淡的酒香，只见里面整整齐齐地排列着上百埕酒。据他介绍，这些酒买来时已经放了五六年了，在他家也放了五年多了，这样算来酒龄超过十年，是十年陈酿了，喝起来肯定醇香浓郁，回味悠长。果如所料，中午他留我们在家吃饭，特意开了一埕酒，用提子舀出，倒入酒壶，稍稍加热，再倒入酒杯，只见酒色黄亮有光，酒体不稠不薄，一杯下肚，不仅口有余香，而且通体舒坦，实在是好酒啊！究其原因，除了酒的基础好外，与装酒的容器是酒埕、放酒的环境阴凉湿润也有很大关系。

黎芗有语

  "埕"是坛子，一种小口大腹小脚的陶制容器，与口阔、身直的"缸"形状不同。它广泛用于贮存、盛装物品，尤其以装液体见长。

元曲中"隔壁三家醉,开埕十里香"的"埕"便是酒埕。埕腹大,可装得多;两头小,拿起时好用力,贮存时易封口。酒埕除了装酒以外,民间高人竟还能"废物利用"、挪作他用。在梅山、白峰一带,曾见过把空酒埕开口朝上埋在滩涂里,只小部分露在外面的。后来问过内行人才知道,滩涂中埋的酒埕其实是用来诱捕青蟹和滩涂鱼等小海鲜的。听说天冷的时候,青蟹会爬到滩涂上挖洞过冬。这时候,把装有稀泥的酒埕埋入滩涂中,青蟹误打误撞钻入酒埕挖洞做窝。钻到酒埕里,抓捕起来可就容易多了!据内行的村民讲,以前有人把酒埕放在滩涂里原是等织纹螺爬进去。不过有时候,沙蟹、青蟹、鱼什么的都会进去,抓来东西的种类和数量与潮水的大小有关。在宁波话里,讲一个人身材不好,肚子鼓出,形状如梨,就会说那个人长得像酒埕。虽说被他人称作身材像酒埕,听了肯定令人不悦,但喻体的直观性和形象性还是蛮令人叫绝的。

粥甏

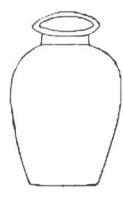

ZHOUBENG

过去,农民家里熬粥,既没有高压锅,也没有电饭煲,一般都是用一只粥甏放在火缸里慢焐而成。粥甏由陶土烧制,圆口,长圆鼓形。甏的大小根据家庭人口多少而定,而且一户人家一般不止一只粥甏。

宁波人习惯,一日三餐,一般早上吃粥或泡饭,中晚餐吃干饭。烧晚饭时,女主人就在准备明天的早餐了。往粥甏里倒入已经淘洗干净的米,有时也会加入一些没有吃完的冷饭,再加水至离甏口一寸左右的位置,盖好盖子,放入火缸,并在甏周围套入一只草节。晚饭烧熟后,马

上用火锹火耙从灶膛里铲出还在发出红光的炭火,均匀地焙在粥罋周边。慢慢地炭火焐燃了草节,热量渗入粥罋。经过一夜的炖熬,第二天一早,便粥香扑鼻了。

粥罋里的米粥,因为焐出了粥油,颜色有点泛黄,特别黏稠,比现在高压锅煮出的要好吃得多。冬天,我最喜欢吃的是粥罋焐出来的番薯粥。番薯切碎后放入粥罋,再加一酒盏粳米,在火缸里焐。第二天盛到碗里,只见粥体白里透着金黄,米香与薯香随着热气扑面而来,不要加任何调料,也不要什么下饭,就能稀里哗啦地喝上两大碗。我还见过邻居家往粥罋里放活泥鳅与米一起焐粥的,据说这种泥鳅粥营养特别好,但我没尝过,想想一定很腥气吧!

粥罋不仅能焐粥,也是烧菜的重要炊具。尤其是焐出来的肉骨黄豆汤,至今想起来嘴巴还馋馋的。可惜现在火缸没有了,粥罋也消失了,那种独具风味的焐品再也品尝不到了。

黎歺有语

汪曾祺有言:你的味觉就是你的乡愁。每逢佳节,尝一口那独一无二的家乡味道就解了乡愁。我吃过的最好吃的家乡味道,就只是火缸里焐出来的一碗粥。那时,农村中几乎每户人家都有几只大小不同的陶土制成的粥罋,要吃粥,必须在头一天夜晚,在火缸里用木炭、柴末子或砻糠之类的燃料,做一个窠。然后,把米、豆类等放进粥罋,再灌满水,盖上土制的陶土盖子;再把这只罋埋进做好的柴末子窠里,最后,用麦秆或稻草为粥罋做条围巾,紧紧裹住粥罋的胖腰;之后,用火锹把烧饭的余火倒在粥罋周围

干工之巧

的柴末子上,并轻轻搭实,使柴末子慢慢煅起幽火来。一个粥甏,里面是水米,外面是不见明火的星星之火,水与火,两种极端的存在形态,此刻向着同一目标以身相溺,以身相焚,被浸润了的椭圆形的米粒遂烘暖而焐热而裂变而柔腻成粥,米水交融,稠稀合一,方是由米成粥的完美过程。"水来,我在米粒中等你;火来,我在灰烬中等你。"这样的激荡与缠绵,怕只存在于坚硬的米粒涅槃为柔软的米粥的过程吧!经过慢慢长夜的煎熬,早晨一揭粥甏盖,白雾袅袅,粥香氤氲,十分黏稠的粥就可以吃了。用粥甏焐出来的粥,水米融洽,柔腻如一,味道香醇,妙不可言,绝非现在高压锅、电饭煲之类煮的粥可以相提并论。一口喝下,便唇齿留香,味觉复苏,全身通透,乡愁的味道再也无法从嘴角抹去。

倾力之韵

  平静的还有石磨,不平静的是生活本身和对生活的主观感受。谷粒、麦粒敞开胸怀,仰望辽阔的蓝天,迎接沉重而热烈的爱从身上轰隆隆地碾过。于是,粮食由颗粒而成粉,少年由垂髫而白发……

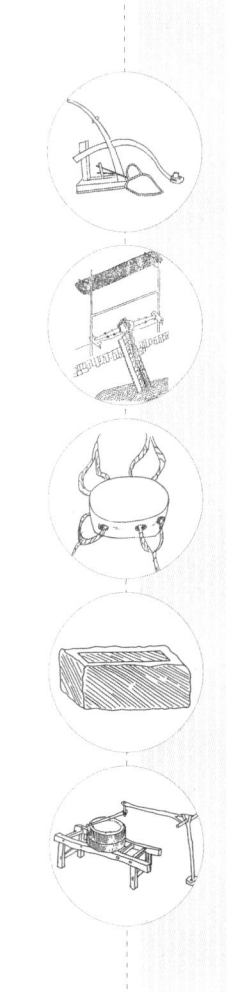

扁担

BIANDAN

扁担,是生产生活的重要工具。据考证,中国扁担的历史可追溯到商汤以前。"汤人(商汤的祖先)因居天山,取水于天河;汤人旦部为减轻山地负重,发明了竹扁担。"

扁担呈扁圆长条形,中间偏胖两头偏细,有点像织布的梭子,长度在170—180厘米,用竹子或杂木制作。一般都是直挺挺的,简朴自然,也有两头上翘,形似"月牙"的翘扁担。翘扁担挑东西,在两头重量的压力下会向上反弹,可以省力气,但须掌握一定的使用技巧,否则挑担时容易翻转过来。根据不同的用途,扁担的两端会安装一些配件,如套上两个钩,用于挑水;缚上两条绳子,便于挑起形状不规则的货物。

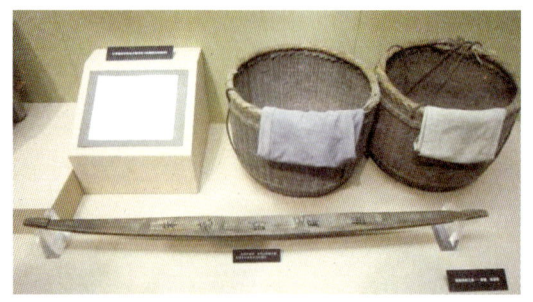

旧时运输工具比较落后,运送东西基本上靠人肩挑背扛手提。所以,农户家家都有几条扁担,特别是家里成年劳力多的,几乎人手一条。我们家也一样,竹扁担、木扁担有好几条。我印象比较深的是我哥专用的一条扁担,用檀木做的,两头有点翘,由于经常使用,扁担已呈浅褐色,通体发亮,手感极佳,经年累月,它的身上不知已经承受过多少重量,浸润了多少汗水。这条扁担,我哥当宝贝一样,轻易不让别人使用。

一条小小的扁担,承载着人生太多的艰辛,也演绎了许许多多故事。小学课本里《朱德的扁担》家喻户晓。故事里说,井冈山时期,红军生活十分艰苦,为了解决部队吃饭问题,红军发起下山挑粮运动,朱总司令身先士卒,亲自挑粮。战士们怕总司令累坏了,悄悄把他的扁担藏了起来。朱德没了扁担,心里着急,便让警卫员从老乡那儿买了一根毛竹,自己动手连夜做了一条新扁担,并在扁担上刻了"朱德记"三个大字。第二天天还没亮,朱德带着新扁担又出发了。从此,朱德扁担的故事就传开了。根据地的军民还专门编了一首歌称颂他:"朱德挑谷上坳,粮食绝对可靠,大家齐心协力,粉碎敌人围剿。"

不仅有故事,而且还有专门歌唱扁担的歌曲,最著名的有两首民歌:其一为《挑担茶叶上北京》,是洞庭湖民歌,歌词大意是:"桑木扁担轻又轻,我挑担茶叶出洞庭,船家问我哪里去,北京城里探亲人",表达的是湖南人民对毛主席的一片深情。其二是渝东南民歌《黄杨扁担》,起源于重庆酉阳县和秀山县,土家族原创。"黄杨扁担软溜溜,挑一挑白米下酉州,人说酉州的姑娘好哟,酉州的姑娘会梳头……"浓烈的乡土韵味,悠扬的民间曲调,让这首优美抒情的民歌蜚声海内外,百唱百听不厌。

说到重庆,那儿的劳动人民对扁担的感情更深。由于重庆城建在嘉陵江边的山坡上,道路不平,落差巨大,行车困难。为了解决运输问题,重庆城区专门有一支以扁担为工具的搬运队伍,重庆人称这些人为"棒棒"。朝天门、沙坪坝等都可以见到他们的身影,他们肩上横着扁担,扁担上串着打着结的绳子,遇到顾客需要,便熟练地在货物上系绳、挽绳、上棒棒(扁担),挑起,踉跄起步,行进在蜿蜒的街道上,以力气谋生,以汗水养活一家,勤劳朴实,坚毅执着。为此,重庆市还专门总结了扁担精神,号召大家脚踏实地,艰苦创业。

|黎|芗|有|语|

岁月,从扁担上滑过,留下数不清的汗斑;扁担,从大哥的双肩滑过,烙下年轮的老茧。扁担里的流年,春夏秋冬的情缘。而扁担挑起的,是山一样的责任、水一般的挚爱。

平衡是一种技巧,将力量交给肩膀,让重物在天空中奔跑,让思想在海水中潜行,让脚步嘹亮地穿过季节。三尺长的扁担闪闪发亮,隐藏其中的是披星戴月的艰辛劳作,还是汗珠摔八瓣的沉重灵魂?扁担在夜里生长,扁担在白昼里开花。花开在负担前行者的宽厚肩头,更开在一年四季的犄角旮旯。崎岖的道路上,扁担指引着生活的方向。沉默的岁月里,扁担不语,却始终充满魅惑和激人奋进的力量。

倾力之韵

杠棍

GANGGUN

杠棍,在宁波话里也有因为谐音而叫光棍的。杠棍的本意是一根粗壮结实、手臂粗细的木棍或竹筒,用于抬扛重物,如抬一箩谷,抬一块石板,抬一顶轿子,都要用到杠棍。做杠棍的树木要表面光滑,没有节结,质地要有韧性,最好选用檀木、栎木,杉木、松木之类由于木质比较疏松,是不能做杠棍的。那时,我们生产队组织社员拆古坟,要把坟石板抬下来,少不了要用到杠棍。记得有一次六个人抬一块又厚又长的石条,没走几步,前面两个人抬着的杠棍"啪"的一声断裂了,石条马上下沉,差

点压到脚面,好在两个人的脚都在石条的外面,危险避开了,可见杠棍一定要结实牢靠。

不知什么时候开始,"光棍"这个名词在汉语里有了引申义,反而失去了它的本义。汉语词典里对光棍的解释有两种:一是没有结婚,没有后代的成年人;一是地痞流氓。至于为什么要把光棍比喻为单身汉,有许多说法。其中之一是说中国人历来重视子孙的繁衍,用枝繁叶茂来比喻子孙众多,父母为树干,儿女为枝叶,而"光棍"是指没有皮的树干,没有皮的树干自然长不出枝叶,也就没有子孙了;又因为没有老婆,所以就没有了后代,这样把"光棍"比喻成单身汉就可以理解了。民间称一个人为"光棍",是有一定讲究的,有过妻子的不能叫光棍,丧妻却有儿有女的也不叫光棍,只有年龄超过30岁,而且一直独身的男人才会被称为"光棍"。

过去,称一个人为"光棍",含有看不起、鄙视的意思,是一种蔑称。现代社会风气转变、思想开放,不想结婚,找不到老婆的人比比皆是。如果有人当面称某人为光棍,此人也不会生气。光棍们为了调侃自己,寻求单身的快乐,还想出了不少点子,组织了不少活动。如按年龄把光棍分类,从小鸟级到骨灰级不等;如举办各种光棍节活动,什么1月1日是小光棍节,1月11日和11月1日是中光棍节,11月11日是大光棍节等。其中"双十一"已演变成了网购的狂欢节、嘉年华,也是人们始料不及的。

黎艺有语

一个人挑两件重物用扁担，两个人抬一件重物用杠棍。扁担和杠棍都是搬动重物的简易工具。它们大都是用毛竹或硬木制成。把"杠棍"叫成"光棍"，恐怕也是我们宁波人独一无二、就地取材的谐音叫法。其实，杠棍是"竹杠"和"木棍"的总称。因为用途不同又有各种各样的叫法。比如：抬稻桶的"稻桶杠"又长又粗，挑草的"挑草冲"细细长长、两头尖尖，抬棺材的"太平杠"是两根粗粗长长的圆木头，还漆成了红色，抬石头、石板的是短短的硬木"短杠"，抬轿子的则是由两根长杠和两根短杠组成的"轿杠"……普通家里用的杠棍就是一根圆圆的直径约为十厘米左右比成人稍微长一点的竹竿，用来抬水、抬谷等等。可见劳动人民在长期的劳动实践中，早已将杠棍这一最基本的农具作了较为精细的分工，而且专款专用。

两根扁担合成一根杠棍，一根杠棍劈成两根扁担。同样用来负重，杠棍的承受力远强于扁担者，合力之所成也！

稻桶

DAOTONG

江南水乡以种植水稻为主,稻桶便是水稻收割时的脱粒工具。稻桶呈梯矩体,上口大,底部小,底下有两根光滑的木条,方便在泥田里拖曳。与稻桶配套的是竹簸篷和脱粒床,竹簸篷约有 2 米高,一头插入稻桶底部,上面还有一米高,将稻桶上口的三面遮住,甩打稻把时不让谷粒外蹦;脱粒床又叫稻桶梯,是一个嵌有多条弓形竹片、上宽下窄的架子,形状像"扬琴",稻穗打在琴弦上,谷粒便纷纷落了下来。稻桶上口四个角上各镶有一块 20 厘米长的长方形木板,就像人的耳朵,是拖拉稻桶的

把手,稻桶要往前后移动时,两边各站一人,手把"木耳",用力一拉,稻桶便滑了过去。

稻桶一般都是用松木或杉木制作,后期也有铁壳的。过去平原地区缺少木材,好多稻桶是用拆坟后发现的棺材木做的,木匠做完后,还要涂上一层紫绛红桐油漆,防水防腐。

水稻收割后成把放在田里,农民弯腰捧起一把,站在稻桶边,将稻穗向上挥过头顶,用力在脱粒床上甩打,随着"嘭嘭"的声音,金黄的谷粒便刷刷地落了下来,不一会儿稻桶的底部便积起了厚厚的谷堆。用稻桶甩打脱粒,脱下的基本上是谷粒,秕谷、稻草少,便于去杂和翻晒。但稻桶脱粒费时费力,农民干活辛苦,干不了多久,脱粒的人便汗如雨下了,真可谓"谁知盘中餐,粒粒皆辛苦"呀!待到稻桶里的谷差不多有半桶了,有人拿来箩筐和畚斗,开始往外出谷,装上满满一担,便深一脚浅一脚地挑到田塍上。挑湿谷也是力气活,一担湿谷大有近200斤重,挑着这么重的担,在水田里走,有时烂泥会没到小腿,一不会就气喘吁吁了。

我参加农业生产时,稻桶脱粒已经很少见了,代之以脚踏打稻机,为半机械化工具。此种机械也有一个稻桶,里面装有一个满身布满三角形铁钉的滚筒,稻桶正面接近地面的部位有一块踏板。脚踩踏板,连上齿轮和杠杆,带动滚筒运转,手握稻把压在滚筒上,谷粒便脱下来了,劳动强度大大减轻。后来又有了电动打稻机。现在我们宁波已经大面积推广大型收割机了,农民只要出点钱,收割专业户便会把你承包田上的稻谷全部收了。遗憾的是再也见不到稻桶的踪影了。

黎芗有语

那斗形的稻桶,也是乡下孩子们的大玩具,谁没有在稻桶里玩过躲猫猫、过家家呀!

《天工开物》中记载:凡稻刈获之后,离稿取粒。束稿于手而击取者半,聚稿于场而曳牛滚石以取者半。凡束手而击者,受击之物或用木桶,或用石板。收获之时,雨多霁少,田稻交湿,不可登场者,以木桶就田击取。

南方水稻传统脱粒用禾桶,就是我们说的稻桶。为防止谷粒散出去,农人们在稻桶的三个边沿处围上了高高的竹篾簟做屏障。为提高脱粒效率,还需要在桶里置入稻桶床——用木条做成呈梯形的一个架子。农人用双手握住小捆稻子,站在敞开着的边沿处用力甩打。一下,一下,再一下,金黄的谷粒就在"哗啦啦"的响声里,脱落在了桶内。过一段时间,拖动稻桶的位置,继续甩打。在一小捆一小捆的甩打里,桶里的谷粒升高了,积满了。农人用簸箕装到篾箩筐内,挑到晒谷场上。有诗这样写道:嘭嘭嘭的声音响亮,赤裸的手臂挥舞。阳光下稻谷飞扬,宽大的稻桶盛满了金黄。草垛在稻田里堆起,清新的稻香四溢,沉重的稻桶轻盈,充满岁月的坚强。稻桶啊,总在稻穗与麦茬间滑行,勤劳的双手翻飞舞动,一片笑脸在阳光下灿烂绽放。

犁

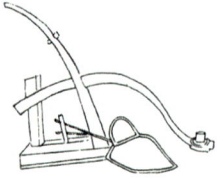

LI

  我们老祖宗很早就发明了犁。在原始的狩猎采集时代，原始人发明了木石工具，最初用于挖掘植物块茎的木棒逐渐演变成"耒"，经过改进后成为"耜"。这就是原始的耕作工具。从耒耜到石犁，再到青铜犁、铁犁、直辕犁、曲辕犁，经过了一个连续的发展过程，犁耕的动力从人力到畜力也有一个发展过程。用牛耕地大概始于神农，真正的铁犁出现已经到了战国晚期，而随着铁犁的大量使用，农耕技术有了较大的发展。

  铁犁使用的历史悠久而漫长，直到现在许多地方仍然没有太大的改变。我们小时候生产队使用的铁犁与明清时代的犁没有什么变化。犁的着地部分是用生铁烧铸的，犁头尖尖，便于深入土层，两边似刀刃的

叫犁铧，有点呈螺旋形，一边高一边低，便于泥土翻动，犁铧的后端有一螺丝孔，与犁弓通过螺丝连接，犁弓的顶端是犁柄，是耕地者的扶手和操纵杆。犁弓的另一端引出两条麻绳，上面连着牛轭，牛轭套在牛肩上，由牛拉动，牛走犁动，泥土像波浪一样一波波翻起。耕者一手牵牛绳，附带拿一根竹鞭，一手扶犁柄，口中念念有词，要求耕牛听话，并不时挥起手中的竹鞭加以威吓，脚步蹒跚，一脚高一脚低，不时还要搞点副业，看到泥鳅之类翻出来了，赶紧随手放入系在腰上的篓子里。这就是一幅生动的春耕图。

20世纪80年代初，我读书毕业分配到省农科院，组织上安排的第一个活动，就是参观1958年毛主席视察过的双铧犁耕田现场。所谓双铧犁就是在传统铁犁基础上，在犁杠增加两个铁轮或木轮子，方便水田操作；在犁铧上套装犁头套，便于引水脱泥。双铧犁要两头牛牵引，效率高，但成本也高，而且不方便操作，所以后来也没推广开来。

到了七十年代中后期，手扶拖拉机和小型拖拉机开始推广普及，拖拉机后面拖着一个装有铁齿的、可以滚动的铁斗，下地后随着铁齿的滚动，泥土纷飞，耕地效率成倍提高，铁犁从此退居次角，只是在拖拉机耕不到的田边田角用一下。到现在宁波农村已经很少看到用牛耕地的情景了，用了几千年的犁艺术退出了历史舞台。

宁波奉化滕头村有一种精神，叫"一犁耕到头"，说的是村党组织认准了中国特色社会主义道路，带领全村群众埋头苦干，艰苦奋斗，几十年不动摇，终于把一个贫穷落后的"塌底"村建成了村强民富、环境优美、全国闻名的新农村。这种坚定、这种自信是我们国家不屈精神的生动诠释,值得大力弘扬。

黎芗有语

"剖开土地的刀锋,让花朵在风中绽放。古老的火焰沉寂,阳光下的牛穿过岁月。没有什么能够阻挡,力量的缰绳挺直,粗糙的手控制着方向,土地看见了希望,所有的眼睛穿透时空,看见幸福的生活在翻开的土地中发芽。沿着土地的方向,雪亮的刀锋流入,老牛在田埂边摆动,青青的草地一片茂盛……"作名词时,犁是一种耕地的农具,是以翻土为主要功能并有松土、碎土作用的土壤耕作机械。据说埃及、中国、波斯等农业古国在三四千年以前就有了用牛拉的原始木犁。当动词时,犁是翻地的劳作。因为犁耙很重,犁田很难,在扶犁的同时还要一手牵着牛绳指挥牛拉着犁按规定的路线走,这种活几乎都是男人做的,女人只能打打下手。因为犁田翻地这种技术含量很高的农活并没有任何教科书可以学,都是通过一代又一代农民口授身传,父传子、子传孙,并在实践中学习掌握的。所以,犁得了田的,一般都是干活的好手。而关中古歌里唱的:"太上老君犁了地,豁出条犁沟成黄河",则绝对是大气磅礴,令人称奇。

水田耙

SHUITIANPA

今天我要说的"耙",并不是锄头铁耙的耙,而是牛拉的水田耙。水田耙我见过的有三种形状:滚耙、平耙和竖耙。

滚耙呈长方形,长约两米,宽约一米二,由两条等长的长木板和两条等长的短木板构成一个木架子,长板嵌在短板两端内侧30厘米的位置,两条长板的中间装有一个滚筒,滚筒上布满了薄薄的铁刀片。耙田时,人两腿自然叉开,两只脚分别踏在两条长板的中间,随着"吁"的一

声,耕牛开始起步,滚筒便转了起来,耙下原来整块泥土纷纷被铁刀切碎,在水中发出"的扑的扑"的声音。

竖耙,顾名思义,就是竖直的。耙的宽度只有一米多,耙上垂直往下安装着六至七条铁棒,每条铁棒之间有十厘米左右的间隔,中间有横档,上面有扶把手,固定这些铁棒。竖耙也用牛作动力。耙田时,农民要双手用力压住扶把,使铁棒比较深地插入泥土里,把高出水面的土尽量耙向低的地方,在较大范围内调节水田的高低。

平耙的外形与滚耙基本相同,但没有滚筒,而在两条长板的后侧装了向下倾斜的铁片,其作用是平整土地,平耙一过,这块田就可以插种水稻了。

耙田是最辛苦的农活之一。遇到耙绿肥田,滚耙的滚筒不一会就缠满了草,牛拉得累,人也累。而且站在滚耙上还有危险性,如果牛不听话,人又站不稳,脚滑下来,碰上滚耙上的刀片,那就要受伤了。我做农民时,最怕的就是耙田,不仅半天下来浑身是泥,而且心里总怕受伤。但耙田是全劳力必须学会的活,再怕也要干的。

现在可好了,耕田、耙田都由拖拉机来完成,各种牛力耙也失去了用武之地。

黎芗有语

一犁两耙，自耕自种生涯。力田扶耙受驱驰，经了些横雨斜风，酷寒盛暑，暮烟晓雾。耙露出锋利的牙，坚硬的土地便开始柔软。亲切的山歌流水般飘过，蓝天上的白云漫漫地降落。空气在泥水中凝固，挥舞的鞭声响亮而酣畅，细腻的黑土溢出芳香，老牛的哞哞声热烈而悠长。飞翔的翅膀轻轻划动，明天的日子刚刚开始，再苦再累也要打开心扉，让梦想在阳光下放声歌唱。一声吆喝，喊出了希望，滑行的耙变得轻盈，耙下沉重的土地，全是脉脉深情。

水车

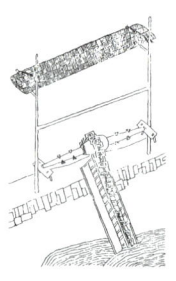

SHUICHE

我说的水车不是那种有高高大大转盘，靠水流或牲畜作动力的水车，而是那种"龙骨水车"。龙骨水车以木板为槽，尾部浸入水中，斜放于堤岸或沟渠边上。水车的前端有一大轮轴，没入水中的一端有一小轮轴。使用时，用脚踩动，或用双手轮番拉动拐木，使大轮轴转动，带动槽内叶板刮水上行至槽口，水流喷涌而出，灌溉缺水的土地。

龙骨水车约起源于东汉，三国时曾有人加以改进，此后一直使用，

在农业生产上发挥了巨大的作用。南宋诗人陆游曾赋诗称赞:"龙骨车鸣水入塘,雨来犹可望丰穰。"说明水车对农业丰收的重要。

我年轻的时候,农村尽管已经有了抽水机、水泵之类的现代灌溉和排涝设备,但水车还是要时常用到,原因是地势高的土地及山边杂地,渠道里的水直接放不进来,就要用水车车水灌溉,否则秧苗就会因旱枯死。在小河和大的沟渠里捕鱼,也要用水车把堰内的水抽干。

我们那儿用的水车比较小巧,以手动为主。安装在水车大轮轴两边的拐木上凿有两个拳头大的孔,用于套入两根顶端装有铁钩的拉杆,车水时,双手一前一后推动拉杆,大轮轴便转了起来,带动龙骨,龙骨上装有刮水板,在水中的刮水板提上水,一节一节往上拉,水便从上面的出口出来了。龙骨与龙骨之间由榫头连接,榫头上有小洞,插入一根木质或竹质的销子,起到纽带的作用。龙骨能转弯就是因为它像人的关节一样可以活动,靠的是榫头。刮水板卡在龙骨上,也靠插销固定,一旦破损了,拔出插销取出,换上一块新的就是了。

另一种水车是用脚踩的,与手动的相比,拐木外面又套了一只转盘,转盘的外围做成踏板。水车的上端要架在一个木架子上,人的肚皮以上部分要靠在木架子的横档上,两只脚像走路一样一前一后反复原地踩踏,让大轮轴不停转动,水就源源不断车上来了。

宁波人还把"车水"这个词引申到小孩的身上。如果一个小孩特别是婴幼儿,双脚双手不停地舞动,年纪大的就会说:"该小宁贼介活络了,两只脚像车水一样,一眼不停啊。"

黎乡有语

龙骨发出哗哗的声响,流水轻轻地游动。稻谷在田地里等候,水车在平静中坚守。这一幕令我想起了一个与水车有关的故事:无相禅师在行脚时,因口渴而四处寻找水源,刚好看到不远处,有一个青年在池塘里打水车,无相禅师趋前向青年要了一杯水喝。青年以一种羡慕的口吻说道:"禅师!有一天,如果我看破红尘时,我一定会跟您一样出家学道。不过我出家后,不想跟您一样到处行脚居无定所,我会找一个隐居的地方,好好参禅打坐,而不再抛头露面。"无相禅师含笑问道:"哦!那你什么时候会看破红尘呢?"青年答道:"我们这一带就属我最了解水车的性质了,全村的人都以此为主要水源,若找到一个能接替我照顾水车的人,届时没有责任的牵绊,我就可以找自己的出路,我就可以看破红尘出家了。"无相禅师道:"你最了解水车了,如果水车全部浸在水里,或完全离开水面会怎么样呢?"青年说道:"水车的原理是靠下半部置于水中,上半部逆流而转的原理,如果把水车全部浸在水里,不但无法转动,甚至会被急流冲走;同样的,完全离开水面也不能车上水来。"无相禅师道:"水车与水流的关系可说明个人与世间的关系,如果一个人完全入世,纵身江湖,难免不会被五欲红尘的潮流冲走。假如纯然出世,自命清高,不与世间来往,则人生必是漂浮无根,空转不前的。因此,一个修道的人,要出入得宜,既不抽身旁观,也不投身粉碎。出家光看破红尘还是不够的,更要发广度众生的宏愿才好。使出世与入世两者并立,这才是为人处世和出家学道的正确态度。"青年听后,茅塞顿开。

柴 刀

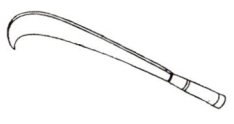

CHAIDAO

柴刀,伐木斫柴的工具,由钢淬水锻打而成。刀刃较长,有一根木柄,顶端有一直角形的弯角伸出,伸出部分约有 10 厘米,上面也有刃口,其作用是在主刀口斫的同时,碰到比较柔软的柴禾,可以用弯角拉过来直接斫断,省工省力。

柴刀使用几次后,刀刃会钝化,再次使用时会很费力气。所以要经常打磨,所谓"磨刀不误砍柴功",就是说刀刃磨得锋利了,斫柴时无需用太大的力气,速度加快,磨刀的时间就补回来了。磨刀要用磨刀石。现在磨刀有人工制作的金钢沙石或磨刀棒,使用起来很方便;过去的磨

刀石是含有石英砂、针铁矿等成分的石头,十分坚硬,也很难找到。磨刀时需双手握住刀背,用力将刀刃在石头上来回摩擦,并不断加水,防止发热。磨一把柴刀需要半小时以上。磨过的刀刃边上银光闪闪,手指在刀刃上轻轻一试碰,有一种糙糙的感觉,说明刀已经磨得锋利了。

柴刀不仅仅用作斫柴,清理路边沟沿的杂草,收割玉米、葵花等高秆作物都会用到。所以,农民家里几乎都会有一把甚至几把柴刀。

|黎|芗|有|语|

　　一把柴刀在握,便可翻山越岭、披荆斩棘。"踏天磨刀割紫云"的豪迈便油然而生。而诗人北岛的那首《磨刀》让柴刀与磨刀有了令人捉摸不透的诗性与诗意,在多层次蒙太奇式的镜头推进中,不着痕迹地把自己想要表达的话用多个声部喊叫出来,同时又给读者留下了无比巨大的想象空间——

　　我借清晨的微光磨刀

　　发现刀背越来越薄

刀锋仍旧很钝
太阳一闪
大街上的人群
是巨大的橱窗里的树林
寂静轰鸣
我看见喟头正沿着
一棵树桩的年轮
滑向中心

倾力之韵

沙锲

SHAQIE

沙锲,又叫沙尖,一种收割工具。薄铁皮制作,形状像初三、初四的鹅毛月,又像古代的弯刀,里口有细密的锯齿,刀形向左边倾斜,后端有木柄,割稻、割麦、割草都要用到它。沙锲的设计是为右手优先的人考虑的,没有一把可以供左撇子使用,因此,像我这样的左撇子用起来就很不顺手,只能在使用前把沙锲的铁皮使劲往下压,尽量让刃口翻过来,调转方向,但无论如何都不方便。

沙镬虽然锋利,但割稻却辛苦得很。早上天蒙蒙亮便出发到田头,赤脚下水田,弯下腰,一手拿沙镬,一手捏稻株,割一行随手放在边上,不一会便汗流浃背了。开始割稻时,十几人是并排下去一起干的,几分钟以后便分出了快慢。手脚

利索的人一下子冲到了前头,像单兵突进,一块整齐的稻田出现了一个长方形的缺口。我是手脚比较慢的人,一般都会落在人家后头。为了不至于太落后,就要多花力气,本来一行一行割,变成了前后两三行捏在一起割,快是快了,但稻根就留得长了,而且又是左撇子,速度一快,沙镬很容易伤到右手。果然有一次不小心,右手食指被沙镬划了一下,拉了一条很深的口子,鲜血直流。旁边有人看到了,马上从自己的破衣服上扯下一根布条,帮我包扎起来。当时,人也比较"贱",包扎一下就继续干活了,收工回家后,拿点红药水涂抹在伤口上,也不会感染化脓。

秋天,收割晚稻的时候相对比较舒服,稻田里没有水,割累了可以坐在田埂上小憩一会。看到旁边种的萝卜、番薯之类,会偷偷地拔一只,用沙镬削去皮,也不管脏不脏,就往嘴里送,吃得津津有味。

|黎|芗|有|语|

在古老中国的广大地区,这个古老的农具叫镰刀。镰刀与铁锤的交叉图案镌刻在红旗上,成就了中国革命史上惊天动地的辉煌。"红旗一举千里明",镰刀一举,燎原星火满天红。

江南的农人都是十足的诗人,和历朝历代一样,一把沙铩写完整个收获的季节,没有隽永的文字,只有起落的鹅毛月和挥洒的满天星记录春夏秋冬。耿耕老师有诗言:"当刀光贴近地面,庄稼成行倒下,成熟而饱满的丰收令人炫目,那是幸福的光芒。耀眼的镰刀充满刚性的力量,举起的右手无比坚强。一茬又一茬的信念在土地里生长,镰刀是一种最灿烂的思想。"清风里、月光下,和平年代,劳动者的身体里长出了翅膀,可以无忧无虑、快乐飞翔。

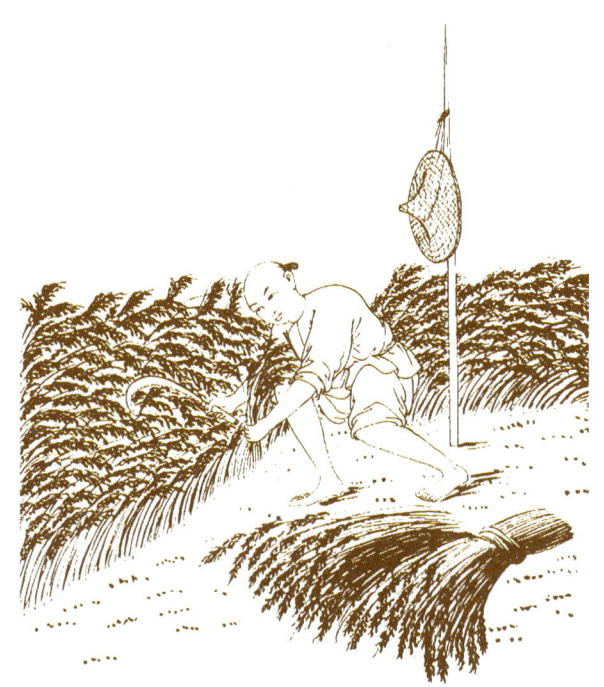

铡刀

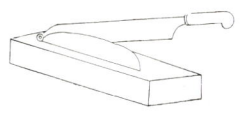

ZHADAO

　　铡刀是切野草、菜梗、根茎的刀具。铡刀由两部分组成，一部分是中间挖槽的长方形木板，下面有脚，形态像长条凳，木板上安装下刀身；另一部分是一把带有木柄的生铁刀，刀的尖端部位插入木槽固定，可在一定范围内上下活动，手持刀柄上下提压便可以铡草了。

　　铡刀主要为牛、羊、猪等牲畜铡青饲料。长长的作物秸秆，山野里的青草等，放入刀身与刀把之间，刀把向上提起，再用力往下一压，这些草料便齐刷刷切断了，有一种"快刀斩乱麻"的感觉。

　　我们小时候，买不起商店里的枕头芯，母亲缝一只布袋，布袋里的

填充物就是铡刀铡碎的稻草,这种枕头叫"绣花枕头烂稻草"。睡觉时头一动,枕头里的稻草便发出"沙沙"的声音,睡得久了,习惯了也就无所谓了。中药店里切药材的铡刀经过改良,体形比较小巧,上刀把很大,像斩肉用的大刀,下刀偏小,可能是考虑中药材干燥坚硬,上刀大有利于用力。

古代铡刀也被用来作行刑工具。据说北宋名臣包拯有三把铡刀:龙头铡刀,专斩皇亲国戚;虎头铡刀,专斩朝中大臣;狗头铡刀,则用来斩平民犯人。包公手中的铡刀真是铁面无私,赫赫有名啊!

|黎|芗|有|语|

看见"铡刀"就想起了两个场景。一个场景是中国古典名著《三侠五义》里,开封府尹包拯的最高刑具,乃当年仁宗皇帝赵祯钦赐。御铡三刀在此,就如同当今万岁亲临,三口铡刀皆可先斩后奏,可见皇帝老儿对包拯的极其信任。另一个场景却是永远停留在15岁的刘胡兰,那枪口对胸讥贼寇,铡刀压颈笑刑场的英雄气概令人至今想起依然荡气回肠。缅想英魂人久伫,昂首长空,莺燕随风蠹。一片赤心千万绪,今生莫把初衷负。

夯

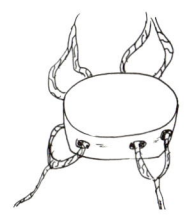

HANG

夯，由一块圆盘形的大石头或一根大圆木制成，石头或木头的周边凿有数个孔，穿入绳子用于提拉。夯的作用是压实地基，如建房、做晒场，都需要把松软的土层压实了。由于夯的重量有几百斤，一起一落不停地敲打，原先高高低低的地面很快就平整结实了。压实后的地面能有效地防止建房后因墙底松软导致墙体沉降坍塌或开裂。

打夯一般要3人以上，大的石夯要十几个人一起用力才能拉起。我们这里的夯比较小，四五个人就能拉起打了。打夯时由一个人领头喊号子，其余人拉绳松绳，使夯上下浮动，来砸实地面。打夯讲究的是步调一致，齐心协力。所以领头的很重要，他是总指挥，他口中的号子就是协调曲，众人随着号子同步拉与松，否则由于用力不均，夯石、夯木容易发生偏离，压到脚面。

在长期的实践中，各地产生了许多内容各异的打夯歌。夯歌的主要作用是指挥协调，统一步伐。比如，领头的先喊一句："拉起夯来哟"，其他的接着唱起来："拉起来哟！"领头："角角落落要打到哟！"众人："要打到哟！"领头："旁

边的人呀！"众人："让一让哟！"领头："小心脚哟！"众人："脚让开哟"……想到什么唱什么，现场热闹非凡。喊号子的另一作用是调节气氛，让大家在轻松愉快的氛围中享受劳动的乐趣。

我们读小学和初中的时候，课间，男同学们聚在一起寻开心，其中一种恶作剧就是把某人当夯石，把他放倒在地，捉住他的双手双脚，一上一下抬拉，名为"夯三合土"，颠得那同学满脸通红，上气不接下气，引得周边看热闹的女同学笑声不断。

黎艺有语

夯，作为砸地基的工具，是名词；解释为用夯砸的动作，是动词。小时候看到一群人用粗绳或铁链拉扯着一块圆石或木段，喊着劳动号子砸地基的情形，就是用夯砸的动作。今天我们经常用到"夯实"，即是说明"基础不牢、地动山摇"。老子《道德经》里说到的"合抱之木，生于毫末；九层之台，起于垒土；千里之行，始于足下"，强调的其实就是夯实基础的重要性。

因为可以夯实基础，在古老中国的建筑史上，至今留有土夯的长城，在我国的甘肃、陕西和内蒙古一带静默矗立，传递着历史的千年遗响和华夏民族的古老智慧。据记载，现在保存较好的明代土长城，依然在广袤的山西原野上，日复一日地展现着苍凉、寂寞、悲壮和雄浑的美，让有缘见到的人全身心地投入到对历史、对岁月、对民族的巨大惊悸与感佩之中。

河泥锹与滑铲

HENIQIAO & HUACHAN

　　河泥锹是疏浚河道时切割河泥的工具。高约一米,形状像"T"字,横的是短短的把手,竖的上端连着把手,下端由生铁锻造,末端呈三角形,像油漆工用的铲子。

　　宁波属冲积平原,河底淤泥层下面便是青紫泥了。青紫泥富有弹性和韧性。掏河时,先用面盆、水桶等工具清完淤泥后,挖到青紫泥时,就要用河泥锹了。用手往下压把手,河泥锹便切入泥层,一般要切三条

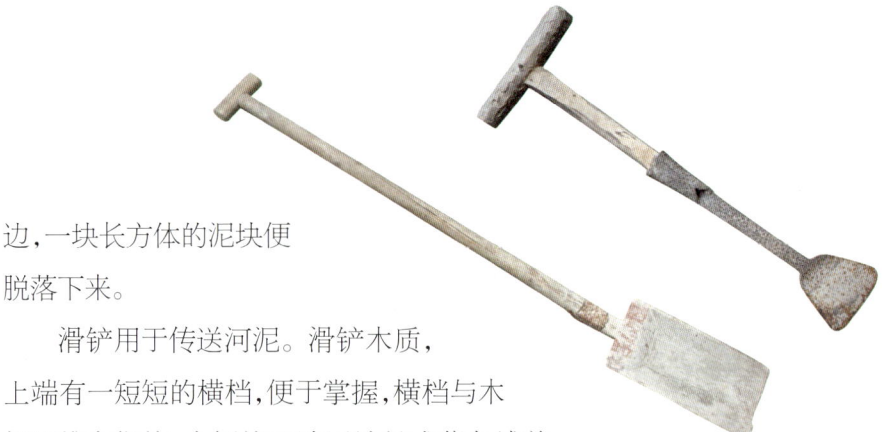

边，一块长方体的泥块便脱落下来。

滑铲用于传送河泥。滑铲木质，上端有一短短的横档，便于掌握，横档与木柄用榫卯衔接，木柄的下端用铁丝或藤条缚着一只木铲。木铲边缘凸，中间凹，有一小弧度，形如药匙。劳作时，五六个人手持滑铲，每隔三四米相向交叉而立，最下面的那人把泥块放入旁边一人的滑铲上，那人双手用力挥动，泥块抛向前面，下一个人将滑铲一伸，稳稳接住，再向上抛去，一个接一个，直到最后一铲抛向河堤上的指定地点。

滑铲的使用延伸了人的手臂，节省了劳力，也相对避免了满身污泥。但用滑铲接泥传泥要花力气，又要掌握一定的技巧，还要集中精力，否则泥块很容易接空，丢落在河坡上。所以生产队组织的掏河活动，持滑铲的绝大多数是男劳力，很少有女劳力干这个活的。

|黎|芝|有|语|

我插队那年冬闲时节，队里都去掏河。因为是知青，是个女的也被赶下河去。挽起裤腿至大腿根，站在河堤极目远眺，被抽干了水的河底人头攒动。岸边人来人往，像一条蜿蜒的长龙向河流的远方无限地延伸着。站在农民中间，接他们传过来的成块的淤泥，那泥块又重又滑，传过来的人又喜欢开知青的玩笑，边说着大腿好白呀之类的玩笑话，边把泥块砸将过来。看见淤泥在知青的怀里乱滚或是经过两手滑落在地，掏河现场便是一阵狂笑。至

于河泥锹与滑铲却是碰也不曾碰过。倒是那人山人海的劳动场面极为声势浩大,虽然时在隆冬,却显得热闹非凡,很是鼓舞斗志。用河泥锹挖出的泥土呈方块形,留在河边的锹痕整整齐齐、重重叠叠,一层一层地铺排开去,煞是好看。而劳动的苦与乐也在热气腾腾的劳动里与众人的欢笑声里渐渐滤苦留乐了。

河泥簖

HENIBU

　　河泥簖由竹篾编织,分上下两片,上端相连、下端开口,并由两根偏厚的竹条作档压住沿口,整个簖的形状像一个能开合的三角形河蚌壳。蚌壳的顶部有一圆形口,两侧有两个洞,相互连通,两根眼杆粗细的竹杆由顶部的口子插入,经过两侧的小洞,通向簖体末端的夹口,并将原先已经劈开的竹竿顶端分成两片,加热弯曲插入簖体的篾片之中,用铁丝紧紧扎牢。同时在洞口部位也用麻绳将竹杆与簖体绑住,使之成为一种绞链状态。由于竹竿由簖体紧密结合,竹竿一分一合,下面的河泥簖也随之一张一翕。

　　河泥簖只有一个用途,就是捻河泥。捻河泥有的地方叫罱河泥。上世纪七十年代以前,农村很少用化肥,农田施肥以有机肥为主,其中河泥是主要的肥源之一。河泥是沉积在河底的淤泥,内含大量的腐殖质,有很高的肥效,因此也成为农民十分看中的好肥料。当然,现在河里的淤泥由于污染,大多含有化学物质或重金属离子,再也当不了肥料了。

捻河泥在水面上作业,需要一条木船或水泥船,两个人为单位,一人立船头,一人立船尾,人手一副河泥簖。船划至河中央,船头船尾用竹竿固定,两个人一前一后开始操作。先将河泥簖的两根竹竿分开,这时簖头的口子也张开了,插入河底,再合拢杆子,下面的口子也闭合了,并装满了河泥。双手握住竹竿,把簖头提入船舱,分开竹竿,将河泥倒入舱内。大约一小时,两个人就可以捻满一船河泥。然后把船划到事先选好的临河田块旁,或舀或用便桶挑到田块的一角,让其自然风干后再装担分送到其他田块,也有直接挑到田里作为越冬作物追肥的。

捻河泥既是体力活又是技术活,一般人还干不了,基本上是三十岁以上有经验的青壮年劳力承担此项任务,我做农民时也没干过,但捻上来的河泥是挑过的,河泥里夹带的还有螺蛳、河蚌之类的水生生物,捡回家敲碎了,还可以喂鸡鸭。

黎 芗 有 语

"橹声欸乃破晨晖,夹捻双谐巧劲依。水映霞天烟未散,河泥又载满船归。"黄心培先生的这首诗,形象地描绘了农村捻河泥的劳动场景,这是一种在江南已经绝迹三十年以上的清淤方式,也是当年的一项积肥活动。在没有化肥的年代里,河泥可是个宝,当时农村有句顺口溜:"若要田好,河泥化草。"因此,一般每年冬至到春分这段时间,人们为了在新的一年里让庄稼丰收,会纷纷到河里去捻河泥。在秋季农闲时,人们也会自发地组织起来去捻河泥,既积肥又清淤。看吧,竹竿起落、簖口张翕,不知不觉中还备足了肥料,保护了水体的自净、河床的生态。

搓板

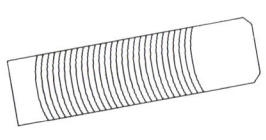

CUOBAN

搓板,与棒槌一道是洗衣机广泛使用前主要的洗衣工具。搓板是一块长约八十厘米,宽约二三十厘米的长条形木板,两端各有十五至二十厘米的平坦部分,中间有二十至三十条沟槽。衣服落水上肥皂后,要反复在搓板上揉搓,目的是使肥皂里的羟基与衣服缝隙里的油脂更好地结合,更快地溶于水。

"长安一片月,万户捣衣声。秋风吹不尽,总是玉关情。何日平胡虏,良人罢远征。"月光下,妻子撸起袖子,仍在河边就着搓板搓衣,拿着棒槌捣衣,替为国戍边的丈夫准备洁净的衣物,盼望结束战争,亲人早日回到身边。李白的这首《秋歌》表达了对战争的厌恶,对劳动人民的深切同情。也说明在唐代人们已经在使用搓板洗衣了。

进入近代以后,搓板的功能有了拓展,变成了妻子惩罚丈夫的刑具。如果丈夫回家晚了,等待他的是跪搓衣板,网上曾流传过一男子结婚后跪搓衣板成瘾的故事。因此,跪搓衣板也成了怕老婆的代名词。

黎芗有语

至今都难以忘记的,是妈妈们的搓衣板被时光磨平的光滑细腻的木纹,像绸缎一样。那是用柔软的布和看不见的时光不断搓揉的结果,正如同水滴石穿一样,久而久之,原来方的棱角被磨圆了,原来深的槽也被磨浅了。而一旦棱角被磨平了,就失去了搓的功能。听老人们说,从前有专门打搓板的手艺人,会把使旧的搓衣板翻新,让钝而无力的木槽重新锋利,重新棱角分明起来。经过几次以旧变新,搓衣板的厚度渐渐变薄,直到中间断裂而完成使命。一个女人就这样在一生中换了几块搓衣板就完成了人生过程,而在她的一生中,喜怒哀乐、生儿育女等与搓衣板相关的都是一段段特别的人生故事。搓衣板在中国民间除了洗衣服之外,还是一种体罚的工具。小时候也听说过邻里家孩子跪搓衣板的事。在民间,还有悍妇惩罚老公跪搓衣板的传说,所以,常常有拿那种"妻管严"的男人开玩笑,说如何如何回家要跪搓衣板。至于有没有男人真的跪过搓衣板,则也无法考证。在民间,搓衣板也常用来形容身体消瘦且平胸的女子,说某某人长得跟搓衣板似的,此时的意思与"飞机场"和"太平公主"同义。

棯槌

LIANCHUI

棯槌,又叫棒槌,就是捣衣杵,浆洗衣物的用具。一根一头粗一头细的木棒,细端用来手握,粗端用来捶衣。

过去农村没有洗衣粉,更没有洗衣机,洗衣洗被全靠手工。江南的村庄基本上都临水而建,靠近村庄的河岸边建有河埠头,河埠头由石板铺成台阶,台阶旁搭放着一块长长宽宽的条石,这便是洗衣台了。早晚时分,村妇们端着满满一桶脏衣服,桶内放着棯槌、肥皂和木刷,走向河埠头。她们蹲下身子在河里浸透衣物,放到洗衣石上涂肥皂,刷刷子,然

后移至临水的台阶上,拿起戮槌,不停敲打,衣物里的脏水便源源不断地流出。看看捶打得差不多了,用手一甩,将衣物散开漂落水中,拉扯激荡,再提上来放在台阶上反复揉搓,直到将衣服纤维内的肥皂水全部清除,用手拧干后放入水桶里。

河埠头洗衣是过去农村一道亮丽的风景。三两个妇女撸起袖子卷起裤腿腰系围兜手抡戮槌的情景,体现了劳动女子的健壮之美、勤劳之美。这种美不仅深深地内化于她们的心灵中,让她们是那么的淡泊从容、安于清贫、乐于吃苦,给她们的家庭带来了祥和安定。尽管穷苦,但在她们的操持下,男人们一日三餐吃得舒舒服服、小孩们养得白白胖胖,出门的衣服尽管有些破旧,却仍然干干净净、体体面面。

关于戮槌(棒槌),在汉语里还有许多别的意思,如北方说此人"棒槌",是比喻此人性子耿直,缺心眼,不明事理。有一句通用的歇后语,叫"棒槌当针",后半句是"粗细不分"。宁波也有一句与其有关的歇后语,叫"弹花戮槌下大上",后半句是"没大没小",一般是在发生小辈骂长辈、儿子骂老子这种违背人伦规矩,旁人看不下去、作点评时说的。

黎芝有语

南方的戮槌,北方的棒槌。生活中,当有人说你"给个棒槌就认针(真)",告诉你这可不是夸奖的话,是委婉地告诉你:你犯傻啦!棒槌是洗衣捶布的用具,充当今天的洗衣机和熨斗功能。可别小看了它。记忆中,棒槌并不是每家都有,但却是每家都要用的。上世纪六七十年代,每到五六月,从上午到下午,河流岸边、井台旁都有此起彼伏的"梆档梆档"的捶衣声,这是棒槌与槌石板撞击发出的奏章。捶布声、欢笑声、河水的流淌声,那可是儿时一道独特的风景线。难怪唐代大诗人李白在《子夜吴歌·秋歌》里对此发表感叹："长安一片月，万户捣衣声"，这捣衣之声，便是棒槌击打衣服发出的"梆档、梆档"的声音。这梆"档梆、档梆"的声音下面，也是技术活：力度要均匀，要匀速，要心平气和。梆梆猛捶，衣服会捶破。因为它是坚硬的实心木材做成，这样才能经得起长年累月的捶击敲打。敲轻了力道不够，又无法完全洗干净衣服。棒槌捣衣，也是中国古典诗词中的常客。"玉户帘中卷不去，捣衣砧上拂还来。"（张若虚《春江花月夜》）"寒砧能捣百尺练，粉泪凝珠滴红线。"（李贺《龙夜吟》）"捣衣""寒砧"是我国古典诗词中常见的意象。古代妇女把织好的布帛，铺在砧板上，用木杵捣平，以求平整熨帖，好裁制衣服，称为"捣衣"（也称"捣练"）。"寒砧"，是寒秋时的捣衣声。秋风乍起，寒意渐生，家中的妻子要为远方的游子赶制冬衣，因而在古典诗词中，"捣衣""寒砧"往往和游子思妇联系在一起。捣衣声不仅是一种劳作的声音，更是一种悱恻缠绵的人文音乐，是征人离妇的相思、远别故乡的惆怅交织而成的柔和的行板，最易撩发人们思人怀乡的情感。

手拉车

SHOULACHE

农用手拉车是农业生产、水利建设的重要运输工具。其结构简单，由车轮、车轴、支架、隔板等组成，其中两只车轮是其主要部件。车轮与普通自行车的车轮相同，但由于要承受更大的压力，轮毂更大、轮胎更厚。车胎分两层，外胎由橡胶制作，硬而有弹性；内胎由橡皮制作，薄而软，可以充气。如果碰到钉子、钢针及尖石子，内胎戳破漏气，车轮就瘪了下来、不能使用了，必须剥开外胎，找到漏气处，用胶水打好补丁，重新充满气才能继续使用。

　　据说手拉车起源于上世纪五十年代末的"大跃进"时代,当时正是大兴水利、大造水库的年代,需要搬运大量的土方石材,如果光靠肩挑手扛,劳动强度实在太大。在生产实践中,农民借鉴北方的轱辘车,发明了手拉车。用手拉车作为工具,运送石块、泥土,大大减轻了农民身上的负荷,加快了工程进度。以后,随着农村道路的改善,手拉车很快推广开来。到上世纪七十年代初,每个生产队都有三四辆手拉车,运输的内容也逐渐增加。首先要搬运稻谷,早晚稻收割脱粒后,一担担挑到机耕路边上,再倒入已经安装了隔板的手拉车上,拉到晒谷场进行吹扬和翻晒,节省了好多劳力和体力。其次是搬运稻草,稻草在山坡路边晒干后,捆成一把把,堆在手拉车上,像一座小山一样拉回家,工效大大提高。三是做买卖,生产队的农产品如茭白、毛豆、西瓜、马铃薯等要到市场出售,装上手拉车,拉到镇里集市上就开卖了。如果从市场买几头猪回来,也由手拉车拉回。当时手拉车的使用频率实在有点高,包括农民家里要运一点砖头瓦片之类的,也会向生产队借手拉车一用,甚至农民受伤、生病,也往手拉车上一躺拉到医院去了。

　　我印象最深的是修水库时,用手拉车拉黄泥。那年生产队派工,叫我和几个年轻社员到十几里外的一个水库工地做苦力,为建造水库土坝拉黄泥。每天的定额是六车,完成定额可以计十个工分,还有一斤米补贴。从取土处到大坝有六七里路,路弯弯绕绕,有上坡也有下坡,而且走的车多了,路面坑坑洼洼。一车黄泥大概有三四百斤重,装满以后开始拉,平路并不困难,一遇上坡就难了,脚拼命往后蹬,上半身几乎与路面平行了,还是寸步难行。好在有同伴在后面,大家相互帮忙,你上坡了,他停下自己的车帮你在车后推;我的车上了坡,再帮他去推。好不容易拉到大坝上,已经浑身是汗,好像刚刚从河里爬上来一样。一天奔波下来真的是筋疲力尽,胃口倒是大开,一口气可以吃三大碗米饭。吃完便一头倒在工棚的草窝里,再也不想起来了。那些天最盼的是下雨,雨天工地停工,我们也可以休息了。

现在我们这里的农村很少有手拉车了,距离远点或者货物有一定重量,拖拉机或汽车一装,拉了就跑,多重多远都不用怕。水利工程也是全部机械化作业,人拉肩扛的景象再也见不到了。

|黎|芗|有|语|

南方的人力手拉车是一种常见的农具,也是通用的交通工具,更是一代人的记忆所在。它在"大跃进"年代产生,后被广泛地运用于这一代人生产生活的各个方面。

手拉车也是中国电影里的经典道具。《天云山传奇》中,文弱的冯晴岚在漫天飞雪的崎岖山道上拉着吱吱作响的破车艰难跋涉、抢救罗群的经典桥段,成为我们青春年华里最感温暖与慰藉的记忆。艰难时世体现的人性光辉定格在中国电影的不朽篇章里;"山路弯弯,风雨漫漫,莫道路途多艰难"的混声合唱和朱逢博的歌声定格在我们永不褪色的青春底板里。

倾力之韵

锄头与铁耙

CHUTOU & TIEPA

锄头、铁耙是最常用的农具,也是历史最长、至今农家仍须臾不能离开的"吃饭家什"。原始农业刀耕火种,那把"刀"应该就是锄头的雏形,当然那时没有铁器,只有像河姆渡遗址出土的那种石刀、石斧;《西游记》里猪八戒的拿手武器是铁耙,已经将农具演化成武器了,也说明铁耙与锄头一样,历史十分悠久。

锄头由熟铁制作,过去铁匠铺都会打造。普通的锄头形状很像成年人的脚,前端有刃口,便于斫入泥土,后端有坡度,像脚背一样缓缓隆起,端部有一上圆下方的孔,用于安装锄头柄。锄头柄有竹竿做的,也有木棍做的,长度一般与人的身高差不多。装锄头柄有些讲究,竹竿的顶端要垫一块帆布,下面有两块木块做

的楔子,我们叫"殿头",其中最下面的一块要做一凹槽,让其紧紧扣住锄头孔的下口。安装的程序是:先把长竹柄的一端套在锄头孔上,再放最下面那块有凹槽的殿头,再嵌入中间的殿头,而且要把锄头柄扶直,使劲往石板地上敲打几下,使中间的那块殿头紧紧地没入里面,这样柄与锄头就不容易脱开了。

因用途不同,锄头的品种很多。开地的锄头体型要大些,锄草、中耕的锄头要轻薄一些;挖笋开荒的锄头叫"板锄",比较厚重,体型窄长,便于用力;而种草养花的锄头就比较小巧了;《红楼梦》里林黛玉葬花的花锄就更轻巧,属于孩子们的玩具之类了。

锄头的刃口碰到坚硬的石头,容易形成缺口或者卷刃,主人便会送到铁匠铺过火铸打,我们叫"握钢",经过重新加工后,残缺的锄头完好如初。

铁耙也是熟铁制作的,一般有四根耙钉,使用久了,耙钉会发出银灰色的光泽。铁耙主要用于翻地,采挖番薯、马铃薯之类长于地下的块茎、根茎。不用锄头用铁耙,主要是考虑其翻起的泥土体量比较大,而且中间留有空隙,不容易弄碎薯类。铁耙的另一个作用就是耙田,高地的土用铁耙一甩,抛向低地,在一定程度上能平整土地。

不要以为使用锄头、铁耙很容易,其实长期不劳动的人偶尔用锄头翻翻地,不一会儿,两个臂膀就酸痛了,弄不好,手心还会起水泡呢!

|黎|芗|有|语|

挥起锄头修地球,扛上铁耙讨生活。"晨兴理荒秽,带月荷锄

归",记录的是农人劳作的披星戴月苦和"汗滴禾下土"。

那些被摩挲出肌肤光泽的农具,那些锄头和铁耙,总能让我们想起挥汗如雨、面朝黄土背朝天的父辈。他们的汗水洒落在大地的沟沟坎坎,艰辛深藏在锄头铁耙的纹理中。光阴深处,村庄犹如风里的往事,锄头铁耙传唱着千年歌谣:沉重的是一片土地,梦想在太阳升起的地方。

肮锹

GANGXIAN

肮锹，铁制农具，有一根长长的木柄，铣体扁平，两边没有沿，顶端有刃口，便于深入土中。肮锹主要用于越冬作物的中耕培土及开沟排水。腊月前油菜已经扎根、长出新叶，麦苗露头泛绿，为了防止霜雪对作物的伤害，除了施用猪粪、牛粪外，还要在油菜、麦子的根部覆盖一层泥土。这个时候，社员们的主要工作就是培土。用肮锹把沟坑里的泥土铲起，轻轻盖在作物的根部，作物就像穿上了一件棉袄；同时沟坑也干净了，雨雪天排水就顺畅了。同样道理，绿化田也怕积水结冰，也要在冬天开出排水沟，迎接初春的雨水。开沟也要用到肮锹。只见一人手持肮锹，用力向下戳去，肮锹深入泥土，然后再用一只脚使劲蹬向锹的后沿，使肮锹的大部分没入土中，然后向上一掀，一大块泥土

倾力之韵

便挖出来了,顺手放在边上。就这样,一锹一锹往前开,直到把一块田沟全部开好。

使用畎锹是体力活,要有臂力,女社员一般干不了。即使是男劳力,干上五六分钟也会歇上一歇。同时为了防止手心磨起水泡,有些老农民会不时往自己的手心吐上一口唾沫,加以润滑,看上去有点恶心,但很有效果。开沟时也会出现惊喜,就是钻入泥土越冬的泥鳅被翻了出来,挖沟人看见了,便呵呵一笑,把它从泥土里拨出,随手装入携带在腰间的篓里或用一根草穿过它的腮部,放在旁边。如果运气好,一块田开沟下来,能捡到十几条泥鳅,收工时拿着一串泥鳅,便心满意足地回家了。

黎芝有语

扎进土里如树的生命生长,黑土地开始变形,人的意志占据上风。土地深处有什么?黄金的光芒暂时暗淡。壮实的农人走在田埂上,铁锹在肩头稍一停留,或一脚让人蹬入泥土,或平躺着铲起土粒,直到生命的尽头。可以站起来申诉的时候,就已经夜深人静……

广阔的田野万籁俱寂,畎锹在静静等候,等候黎明即起,又一次被轻盈挥洒翻动,在阳光下闪亮,与他一道挥汗如雨。穿过黧黑的泥土,穿过暴瘦的时光,一锹挥起,便是经年的希望。

麦插孔

MAICHAKONG

没有做过农民的人大概没见过"麦插孔"。这是一种打穴的小农具,底部是一个铁制的圆锥体,圆锥体上部的平面上有一个方孔,用于安装木柄。木柄长约1米,顶端有一根短短的横档,方便操作者把握。

晚稻收割后,除绿肥田外,剩下的土地要种植大小麦和油菜,当时尚未大面积推广直播撒播,油菜要一株株栽种,大小麦要一穴穴播种。栽种、播种就要挖穴,如果用锄头挖,尺寸和规格难以掌握,于是便用上了专用工具——"麦插孔"。

倾力之韵

晚稻田由牛翻耕后,社员们用锄头、铁耙加以整理,留出排水沟,做成一畦畦整齐划一的菜田、麦田。然后便有几个人手持"麦插孔"开始打穴,每畦田横向的一般并列打四五个穴,直到整块田全部打完。一边打穴一边有人在穴里放油菜秧,或在穴里撒上10颗左右的麦种,接着施上焦泥灰,覆盖根部或种子,扶正菜秧。男劳力见种得差不多了,开始在油菜秧上面浇人粪肥,麦子则暂时不用施肥。至此,油菜和麦子就算种好了,但要获得好收成,后面的田间管理事情可多着呢!

使用"麦插孔"打穴,省时省力,但有一个缺陷,就是由于重力的作用,原本疏松的土壤压实了,容易引起积水,不利于作物根系生长,只能靠以后中耕锄草时来增加土壤的通透性了。

|黎|芗|有|语|

劳动人民的智慧令人感佩,田间地头也有半自动化的创造性劳作。晚稻之后,土地之上,尖头的麦插孔在跳跃着欢乐,新一轮的播种需要一个小小的窝,也需要温暖的阳光。小心地劳作,眼睛分辨着行列的宽与窄,给生命造一个标准的温床。汗水悄悄滴落,铁器闪闪发亮,粗糙的手与热烈的渴望交织,梦想在万物复苏的地方。春风吹来的时候,便是漫山遍野的油绿与金黄。

草包

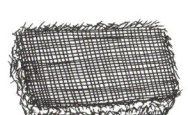

CAOBAO

草包，用稻草为材料编织而成的类似麻袋大小的袋子，在抗洪排涝时用于填装石块、泥土，以围筑堰塲、堵塞漏洞，相当于现在的塑料编织袋。

作为抗洪抗台的储备物资，上世纪人民公社时代，草包的用量很大，每年上级政府都要下达草包储备任务，并由供销社负责收储。供销社则把任务下达到生产队，动员各家各户织草包。每只草包大概可以卖两角钱，稻草又是现成的，作为一种副业，社员们织草包的积极性很高，

每个家庭都制作了草包织机,每天晚上收工后,马马虎虎吃点饭,一家老小就围在草包织机前织草包。草包机像织布机,由两个人操作,织机上先布好穿过压锁的草绳,作为经线,一人手持梭杆一根根地往经线里穿梭送草,坐着的一人则压一次压锁,待草帘上升到接近草包机的顶端时,往下拉一拉,再往上织。待织够大约两米长,把整条草帘放下来,对折,再用一根粗粗的竹针带着草绳缝边,一只草包就成型了。两个人搭手,每天可以做上三至四只,一个月下来就差不多有一百只左右了,供销社工作人员间隔一定时间会下村收购,或通知社员运到指定地点,一手交货一手交钱。双方都很满意。

草包由稻草制作,是废物利用;稻草容易腐烂,没有白色污染,生态环保;农民利用业余时间编织,还能增加收入,实属一举多得。可"草包"两字用到人身上,味道就变了。骂某人是草包,是说此人徒有其表,外强中干;或是比喻此人说话行动莽撞粗鲁,没有涵养。一个人如果被别人视为"草包",那是十分耻辱的,应当知耻而后勇,在道德、学识、言行等方面加强修养。

黎芗有语

本身是草,转身成包。腹内空空,徒有皮囊。

石槽

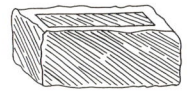

SHICAO

  石槽，喂养畜禽的石制容器，由一块半米左右长的条石打凿而成。由于是石质，分量重，一般放在猪栏里或天井的角落，很少移动。

  那时家庭养猪，喂的饲料，除青草、菜叶等青饲料外，多数是米糠、泔水之类，汤汤水水容易溢出，石槽平直，容量较大，又有边沿，可以容纳较多的食料，既能满足猪的食量，又不会渗漏和溢出，造成浪费。大家都见过猪进食的情景，吃相吓人，一边吃一边拱，两条前足还要跨进槽里，如果是木槽或塑料槽，肯定没几天就被它们搞坏了。石槽坚固耐用，猪即使用再大的力气也破坏不了。

古代的石槽并不单纯是畜禽的"饭碗",还有很多功能延伸。如大石槽用于承接天落水,储存作为饮用水;作为水斗,用来洗菜洗衣服;作为储水柜,用来消防灭火。现在石槽已经失去了原来的功能,只是作为一种传统工艺品,放在一些饭店、旅游景点的门口,供人们追忆过去的时光。

|黎|艺|有|语|

老石槽讲述的是旧物件的美学和时间的故事。石头这种材质既坚实厚重又不易被损蚀,是时间这一无形之物足够理想的物质铭写体:那些划痕、豁口,风化后的蜂窝状孔隙,摩挲后温润平滑的"包浆",便是时光的印记。石制器物以其亏损性的存在史诠释了"文物"历史层累性的内涵。旧物的美学就是以旧为美,以时间为尚,且要旧得天然、旧得纯粹。旧时的石槽终于沉淀成今日的时尚。哪怕它的前身只是一只猪的"饭盒",或是天落水的承接物,也挡不住今天的一部分人,以艺术家的眼光发现石槽的历史意蕴和人文价值。

石捣臼

SHIDAOJIU

石捣臼，由一块大石头凿刻而成，圆口，中空，配之以石杵，过去农民用来搡年糕、碾稻麦。石臼发明很早，新石器时代，先民就用上了。当时石臼是用作谷物去壳去皮或粉碎的。把稻谷倒入石臼，抡起石杵捣打，谷壳裂开脱落，用簸箕一播，壳随风去，米粒尽见。以后，随着人们对食物多样性的追求，石臼的功能有了拓展，从单纯的舂米舂粉，扩展到捣麻糍搡年糕。宁波慈城的年糕闻名于世，作为农产品加工品，现已普遍

使用机器生产,但作为一种传统的加工工艺,农民家庭做年糕,还是要用上石捣臼。慈城把它作为一项旅游表演节目,秋冬季节到慈城旅游,人们可以看到在石捣臼里揉米粉团的情景。只见一人把蒸熟的粳米粉倒入石捣臼,一人手持大石杵,使劲往米粉团捣打,另一个用手沾点冷水,在捣打的间隙不停地翻动粉团,揉打几十下后,原先散散的米粒,变成了韧性十足的米粉团,就可以放到桌上做年糕了。现在我们到少数民族地区去,主人也会热情地揉一臼麻糍给客人品尝。

由于石捣臼历史悠久,汉语中的成语及我们日常生活中的谚语俗语,还保留着不少有关捣臼的痕迹,如有一句成语叫"亲操井臼",出自汉刘向的《列女传·周南之妻》:"家贫亲老,不择官而仕;亲操井臼,不择妻而娶。"意为亲自操持家务。"笨贼偷捣臼",是指一个人实在太笨,值钱的不要,偏偏要去偷一只又重又没用的捣臼。比喻借高利贷,越欠越多的,叫"烂泥田里滚捣臼,越翻越深"。还有形容天气寒冷的谚语,"三九四九、胶开捣臼",说的是数九寒天,捣臼里的水结冰,把捣臼冰得裂开了,可见温度之低。相信风水的人,把石捣臼放在家里的某一位置上,说家里有一个石捣臼,一世吃喝不用愁,儿孙也能够兴旺发达,科举也能金榜题名,可见对石捣臼崇拜得很。

黎艿有语

古朴稚拙,乡土气息。大的捣米,小的舂蒜。杵子起起落落,如同百姓的生活,在岁月的长河里,发出自己的声响。石捣臼整洁光亮,盛满了日子的精华。日子悄然走过,生活的光芒开始辉煌。过年时节,一筐香糯米饭,在热气氤氲里倒入捣臼,两个大汉,举起大杵,你落我起,一顿"痛打",年糕和糯米糍便一蹴而就了。嵌着咸菜的年糕团就成了孩子们的最高奖赏,如果嵌的是豆酥糖,那简直就是神仙了!所以,我承认,再艰难的年代,也有属于我们的幸福。如今,我们还能在旅游景点的农事表演区,看到捣臼舂米、制作点心、现做现卖的展示与表演。那既是绿色环保生活的善意倡导,更是对过往岁月的生动再现。在这样的再现里,我们会不会有刹那的时空错觉,以为时光倒流、重回了童年?

石磨

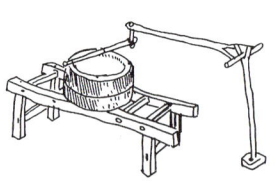

SHIMO

　　石磨作为粮食加工机械,在上世纪七十年代前仍在广泛应用,且应用的历史可以追溯到晋代以前。传说鲁班发明了石磨。在鲁班生活的时代,人们吃米粉、麦粉之类,都是把米粒、麦粒放在石臼里,用石棍揉捣,这种揉捣方法费时费力,而且捣出来的粉粗细不匀。鲁班想找一种简便有效的办法。他用两块有一定厚度的圆形石头制成磨扇,下扇加以固定,上扇叠于其上,并在中间装上一根立轴,上扇绕轴转动,就可以磨面了。

鲁班制造了第一台石磨后,后人又不断地加以改进,形成了一直使用至今的石磨造型。现在大家看到的石磨,由两块尺寸相同的圆柱形石块和磨盘组成,一般架在石头搭成的台子上,接粉用的磨盘上放着磨的下扇(不动盘)和上扇(转动盘),两扇磨的接触面上刻有排列整齐的磨齿,用以碾碎粮食。石磨的上扇有一个或两个磨眼,供漏下粮食及加水之用。两扇磨的中间有一铁轴,套住上磨盘,防止转动时滑落。石磨有大有小,大磨需要用畜力拉动,小磨则由人力拉动,更小的磨可由一个人手摇牵动。

我小时候,轧米厂还没有粉碎机,磨面粉仍然要用石磨。记得有一次,母亲炒了几斤粳米,想磨成炒米粉,饿的时候,用开水一冲,加点糖,是充饥的好东西了。于是借用隔壁邻居家的石磨进行加工。那天,母亲叫我一起去,让我推磨,她添料。走进磨坊,只见石磨盘踞在房中间,屋梁上垂下一条绳索,绳索缚住推杆,推杆悬空,前端与石磨上的把手相连。母亲打扫干净石磨后,便往磨眼里放炒米,我则一来一去推磨杆,随着磨杆的摆动,石磨的上扇转动起来,炒米碾成了米粉,不断地从两扇磨盘的接合处流出,进入磨沟。母亲不停地加米,粉不停地溢出,不到一小时,三四斤炒米便磨好了。然后用一把干净的刷子把磨盘周边的米粉全部刷到磨沟里,再从磨口推入布袋,香喷喷的炒米粉就做成了,可以冲着吃了。

现在,现实生活中不再用到石磨了。人们出于怀旧,把废弃的石磨放在公园里、博物馆里,所以我们还是能经常看到石磨的身影。

|黎|芗|有|语|

南方的石磨北方的碾子,都围着一个叫日子的磨心打转。原始的意念转动石磨,让粮食改变身份。是鲁班打造的遥远的传奇,粗糙的手穿越历史的星空。雕凿的凹凸规则,旋转的岁月平静。平静的还有石磨,不平静的是生活本身和对生活的主观感受。谷粒、麦粒敞开胸怀,仰望辽阔的蓝天,迎接沉重而热烈的爱从身上轰隆隆地碾过。于是,粮食由颗粒而成粉,少年由垂髫而白发……

后记

老早就在酝酿写一本关于过去的农具和农村日常生活用具的书,但迟迟没有落笔,主要是考虑如果单纯介绍各种器具的构造、功能,一来觉得自己不够专业,写不详细;二来担心即使写成了,也缺少生动性、可读性。思考再三,认为先对器具作一简单介绍,再把笔墨放在围绕器具的使用所衍生的风俗和故事上,可能效果会更好。果然,发表了几篇后,看过的朋友们都觉得有知识性、趣味性,而且还能翻腾起脑海深处那久久没有触摸的,或美好或苦涩的记忆。于是,我们这些在农村长大、做过农民的,作为知识青年上山下乡过的,或在农村奶奶、外婆家长大的人,凑在一起的时候,那些过去的农具、农村老物件便成了热门话题。王先生眼含泪花讲起了他年轻时拉手拉车翻车的经历,宋先生问我知不知道农民捕鱼的某种工具,苏先生则讲起了他在基层供销社销售农机具的故事。郑茹杰女士是慈溪人,她热心地帮我搜索了棉区、海涂上作业的有关农具素材。我的小朋友徐洋先生边为本书打印初稿,边告诉我某种农具在他老家江西是怎么称呼的。这些都让我感动,并使我的文章内容更加充实,描述更加细腻。

最值得一提的是潘一红女士。她不但结合自己小时候的经历,为每篇文章作了精彩点评,而且引经据典,对书稿逐字逐句进行了校勘、校对,使书稿更加完善,文字更加通畅,宁波地方元素更加彰显。

感谢所有对本书写作、出版提供过素材,作出过点评,提供过照片或做过文字辅助工作的朋友们。

愿大家喜欢这本书。

郁伟年
2016.2.23